Ensinando Português no mundo corporativo

O Professor de Português para estrangeiros como empreendedor

A parceria entre o professor, o aluno e a empresa

Consultoria intercultural: um novo nicho de trabalho

Denise Coronha Lima

Ensinando Português no mundo corporativo

O Professor de Português para estrangeiros como empreendedor

A parceria entre o professor, o aluno e a empresa

Consultoria intercultural: um novo nicho de trabalho

Copyright© 2004 by Denise Coronha Lima

Todos os direitos desta edição reservados à Qualitymark Editora Ltda.
É proibida a duplicação ou reprodução deste volume, ou parte do mesmo, sob qualquer meio, sem autorização expressa da Editora.

Direção Editorial SAIDUL RAHMAN MAHOMED editor@qualitymark.com.br	Produção Editorial EQUIPE QUALITYMARK
Capa WILSON COTRIM	Editoração Eletrônica EDIARTE

Ilustração
CAULOS

CIP-Brasil. Catalogação-na-fonte
Sindicato Nacional dos Editores de Livros, RJ

L698e

Lima, Denise Coronha
　　Ensinando português no mundo corporativo: o professor de português para estrangeiros como empreendedor : a parceria entre o professor, e o aluno e a empresa : consultoria intercultural, um novo nicho de trabalho / Denise Coronha Lima. — Rio de Janeiro : Qualitymark, 2004.

　　Anexos
　　ISBN 85-7303-511-0

　　1. Empreendimentos. 2. Professores de inglês. 3. Língua portuguesa – Estudo e ensino – Falantes estrangeiros.
　　I. Título.

04-1958.　　　　　　　　　　　　　　　　　　　　　　CDD 658
　　　　　　　　　　　　　　　　　　　　　　　　　　　CDU 658

2004
IMPRESSO NO BRASIL

Qualitymark Editora Ltda.
Rua Teixeira Júnior, 441
São Cristóvão
20921-400 – Rio de Janeiro – RJ
Tel.: (0XX21) 3860-8422

Fax: (0XX21) 3860-8424
www.qualitymark.com.br
E-Mail: quality@qualitymark.com.br
QualityPhone: 0800-263311

Aos meus pais,
José e Nadir,
princípio de tudo.

Agradecimentos

Este livro não seria o que é sem as contribuições de várias pessoas que o tornaram possível. Meu muito obrigada em especial vai para:

Ralph Sinclair, ex-aluno inglês, que me fez ver o trabalho de ensinar por um ângulo totalmente novo;

Daniele Marcelle Grannier, que não só me convidou para dar um curso na Universidade de Brasília, cujo conteúdo foi o ponto de partida para este volume, como também me apoiou nesta realização;

Amélia M. F. Alves e Graham Jepson, amigos que de Londres e da Cidade do Cabo respectivamente, via *web*, me ajudaram a apurar o foco e a seguir em frente;

Victoria Escudero, minha querida estudante chilena, que fez a revisão comentada dos originais, compartilhando comigo seus conhecimentos de Economia e sua sabedoria pessoal;

Maristela Riski, professora e amiga que deu seu OK sobre os aspectos específicos da Língua Portuguesa;

Meira Kieft, que compartilhou sua experiência como estudante galesa de Português no Rio de Janeiro e com o multiculturalismo em Londres;

minha estudante finlandesa Sari Meskanen, a professora sueca Marianne Akerberg, as amigas Patrícia Enriques, Ana Maria Moura e Isa Silva, assim como a professora de Inglês Ana Cristina Carneiro, que iluminaram o caminho;

todos os meus estudantes que, de muitas formas, são meus mestres, e suas respectivas empresas, por onde tenho feito meu caminho profissional; e

Egas, Bernardo e Adriane, por serem os melhores companheiros nesta jornada.

Apresentação

A primeira ousadia foi apresentar a comunicação "O ensino de Português para estrangeiros e o mercado de trabalho no Rio de Janeiro", na PUC-RJ, em novembro de 2001. Com certeza, eu era uma das poucas participantes no IV Congresso da Sociedade Internacional de Português Língua Estrangeira que não pertencia a nenhuma universidade ou entidade de ensino. Ou seja, era totalmente da iniciativa privada, em um meio essencialmente acadêmico.

A comunicação deu filhote. Convidada pela Professora Daniele Grannier, em março de 2002, estive na Universidade de Brasília (UnB) dando um curso de 16 horas sobre o mesmo tema. Os participantes eram os alunos de Licenciatura de Português do Brasil como Segunda Língua, além de professores da comunidade local.

Como conseqüência destas duas experiências bem recebidas no Rio de Janeiro e no Distrito Federal, *Ensinando Português no mundo corporativo* é um relato das minhas experiências como professora e consultora intercultural e que tem como objetivo motivar os novos professores. Neste volume, cada fato mencionado foi vivido; cada tema me acompanhou em trajetórias de trabalho pela cidade ao lado do mar. Seguindo o exemplo da escritora chilena Isabel Allende (1998), nele também incluí posturas e conceitos que colecionei de publicações, seminários e entrevistas, além de conversas com pessoas dos quatro cantos do mundo, numa costura original.

Ao afirmar que "se a experiência é fonte de toda teoria, a teoria também alarga muito a experiência", Rose Marie Muraro (1996) nos dá uma chave. O casamento da reflexão teórica com a prática faz cada dia ser diferente. A disposição para encontrar o novo, os processos para criar quadros mentais favoráveis, o estudo e a conexão de fontes variadas atravessam **o tema central, que é o ensino da nossa Língua Portuguesa e da cultura brasileira para estrangeiros na esfera corporativa.**

Finalmente, ensinandoportugues@terra.com.br fica à sua disposição para que as idéias cumpram seu destino e circulem.

Sumário

Introdução: O caleidoscópio e o pulsar 1

Capítulo 1: Abrindo as lentes 3
Três em um 5
Suas lentes são multifocais? 7
Quem está na floresta não vê a floresta 8
A nossa comunicação humana 8
O mercado globalizado é aqui 10
Sobre o desaquecimento econômico e o nosso maior desejo 12
Empreendedorismo: proatividade total 13
A primeira lição sobre projetos 14
Você sozinho no espelho 15
Nem tudo são flores 16
How's business? 17
Que tipo de professor você é? 17
O pulo do gato 18
O próximo passo 19

Capítulo 2: A Língua Portuguesa e o Brasil 21
A nossa língua no mundo 23
Português, mil e uma utilidades 24
O mercado para professores de Português para estrangeiros 25

Capítulo 3: Apurando o foco 29
No mundo dos negócios: ensinar a quem e para quê? 31
A parceria professor & aluno 32
Características da parceria 33
Cada caso é um caso 35
O objetivo customizado 36
A fisiologia da experiência 37
As nacionalidades e os estilos de aprender 38
A missão 40

Capítulo 4: O foco é a aula 43
Antes de mais nada 45
Na hora da classe 45
Dançando conforme a música 46
Para que esses olhos tão grandes? 47
A aquisição formal do Português 49
Rituais de aprendizagem 50
O que não pode faltar 53
Nossa linguagem dos sinais 54
O capital 56
Benditas sejam as pequenas palavras 58
Quando as línguas são irmãs, mas não exatamente amigas 61
Fechando com aplauso 61

Capítulo 5: As lentes se abrem sobre o curso 63
O seu melhor desempenho 65
O traje do dia 67
A entressafra 68
Empregabilidade 69
Crie suas regras 70
O poder de decidir 72
Tratando de cifras 74
Pegue e pague 78

Capítulo 6: Avistando um novo nicho 81
Consultoria intercultural: antecipando necessidades 83
"Se não sais de ti, não chegas a saber quem és" 84
O treinamento intercultural 84
"O Brasil não é para principiantes" 85
São Sebastião do Rio de Janeiro: atenção ao desembarcar 87

Conclusão 91
Ensinando e aprendendo para a vida 93

Anexos 97
Inspiração: onde encontrar 99
   Livros, estes objetos encantados 99
   Websites para ampliar a visão 100
   As revistas e o gosto de folhear 100

Introdução

O caleidoscópio e o pulsar

Um dos fascínios do trabalho de ensinar está na possibilidade de relacioná-lo e fazê-lo crescer à luz das contribuições de outras ciências. Acreditando na universalidade dos conceitos, ou seja, que todo conhecimento está potencialmente interligado, unir pontos de vista aparentemente diferentes torna-se natural e revelador. Princípios da Biologia, Administração de Negócios e Programação Neurolingüística, entre outros, são lupas valiosas para o professor e o empreendedor que querem ver mais, integrando saberes.

Tanto no curso na UnB como neste livro, começamos abrindo as lentes sobre o contexto maior. No Capítulo 1, abordamos alguns pressupostos úteis para a nossa investigação. Passamos por aspectos do mercado de trabalho e do ensino de línguas, assim como o empreendedorismo e a ação do professor como um profissional independente.

Gradativamente, o foco se fecha. No Capítulo 2, consideramos a Língua Portuguesa no Brasil e no mundo e as oportunidades de ensino nos ambientes corporativos. No Capítulo 3, a parceria professor/aluno. No Capítulo 4, a aula especificamente. Quando, no Capítulo 5, voltamos a abrir as lentes, tratamos do relacionamento do professor com as empresas. No Capítulo 6, ampliamos a visão passando pela consultoria intercultural. Finalmente, a conclusão contempla o que pode significar ensinar para a vida.

Este movimento sinuoso, que parte do cenário maior para o menor, voltando para o mais amplo, é como um pulsar. Contração e expansão. O movimento do coração e da respiração. Da vida e do próprio universo. Assim nós vamos.

Capítulo 1

Abrindo as lentes

Abrindo as lentes

Três em um

O primeiro pressuposto que orienta minhas considerações está na conhecida relação de interdependência entre três fatores primordiais:

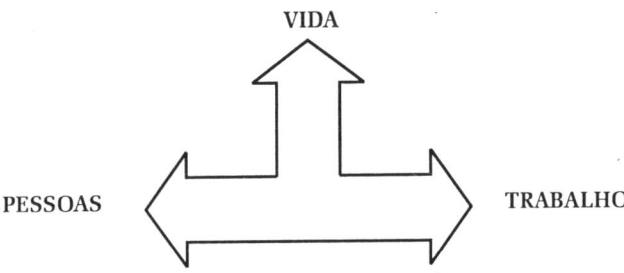

No tecido da vida existe uma dinâmica em que as pessoas, suas histórias e trabalhos se comunicam e influenciam mutuamente. Quanto melhor estiverem as pessoas, melhor estarão a vida e o trabalho. Por outro lado, qualquer coisa que afete o trabalho atingirá as outras dimensões. Reconhecer estas relações facilita muito os resultados.

Começando pelo vértice das pessoas, Peter Drucker, professor e escritor austríaco, mestre da gestão contemporânea, sugere às pessoas desafios de vida e trabalho ao dizer:

"... Antes de mais nada, temos que saber quem somos. Quando pergunto aos meus alunos, que são pessoas de sucesso, qual é sua maior aptidão, quase nenhum deles sabe responder. 'Sei o que preciso aprender para aproveitar ao máximo minhas aptidões?' Nenhum deles se fez esta pergunta, jamais..."

Poucas pessoas sabem onde é o seu lugar, que espécie de temperamento e de pessoa realmente são. Poucas se perguntam: 'Será que eu trabalho bem com as pessoas ou sou um solitário?', 'Quais são os meus valores?', 'Qual é o meu objetivo?', 'Onde é o meu lugar?', 'Qual é a minha contribuição?'. E isso, como eu já disse, não tem precedentes. Os grandes realizadores sempre fizeram estas perguntas. Leonardo da Vinci tinha um caderno cheio de perguntas que fazia a si próprio. E Mozart conhecia isso muito bem..."

Ensinando Português no Mundo Corporativo

E mais:

"Temos que aprender onde nos situar e quais são nossas aptidões para extrair o máximo benefício disto. Devemos saber onde estão nossos defeitos, quais as aptidões que não temos, onde estamos, quais são os nossos valores."

Ainda como estudante universitária e já buscando um lugar para exercitar-me profissionalmente, participei de um treinamento para professores de Português para estrangeiros. A partir daí, com base nos conhecimentos acadêmicos sobre ensino de línguas estrangeiras, comecei a ensinar Português como segunda língua a suíços, alemães, ingleses e americanos. Inglês para brasileiros também me ocupou por alguns anos. Depois de lecionar em dois cursos de idiomas, uma escola privada e outra pública, ensinar nossa língua a estrangeiros, como autônoma, foi a escolha que melhor atendeu ao meu temperamento e às aspirações de então.

A definição de um nicho é uma decisão profissional importante. No meu caso, Português para estrangeiros tem sido o campo em que escolhi estar. Este será o meu território profissional enquanto puder atender a um valor pessoal: ensinar aprendendo.

Recentemente, a consultoria intercultural apareceu como um novo nicho. Não colocar todos os ovos na mesma cesta serve para muitas coisas na vida. De tão importante, este assunto será tocado novamente em "A Entressafra", no Capítulo 5.

Quatro anos depois de formada, sentindo que precisava de-

> No livro *Ah Se eu Soubesse... O que pessoas bem-sucedidas gostariam de ter sabido 25 anos atrás*, entre as experiências de vários profissionais, há uma orientação simples e clara:
>
> "Selecione o seu nicho. É muito difícil ser bem-sucedido num campo de atuação lotado. Eu descobri que uma pessoa pode se mover mais rapidamente se selecionar um segmento de um campo lotado e se tornar um *expert* nele. Um advogado que inicie sua carreira como generalista irá ter um desenvolvimento lento. Agora, se ele selecionar um nicho como, por exemplo, as leis do esporte, a oportunidade de crescimento será mais rápida. Procure pelos principais segmentos do seu campo de atuação e torne-se um especialista. Você crescerá mais rápido do que imagina".
>
> Joe Potocki, presidente da Joseph E. Potocki & Associates, págs. 18-19.

senvolver novas aptidões, como sugere Drucker, comecei a buscar conhecimentos sobre ensino e aprendizagem que renovassem minha prática de aula. Trabalhando sozinha, faltavam interlocutores com quem pudesse descobrir mais. Pesquisando em uma livraria especializada no ensino de idiomas, encontrei catálogos de editoras estrangeiras com lançamentos em várias áreas, inclusive de Lingüística. Embora tivesse estudado a matéria durante a graduação, foi ali que surgiu a nova afinidade. Pouco depois, iniciei um curso de pós-graduação em Língua Inglesa, com foco em Lingüística Aplicada, na Universidade Federal do Rio de Janeiro, onde, além de encontrar respostas que deram mais sentido ao meu trabalho, acabei crescendo como pessoa.

> "... Pela primeira vez na história da humanidade temos de aprender a assumir a responsabilidade de administrar a nós próprios. E, como já disse, provavelmente esta é uma mudança muito maior que a trazida por qualquer tecnologia – uma mudança na condição humana..." Peter Drucker (Revista *VOCÊ S.A*, Ed. Abril, agosto 2000).

Suas lentes são multifocais?

Além do pressuposto que entrelaça vida, pessoas e trabalho, outro bom princípio orientador é o bastante conhecido *"think global, act small"*, que alterna e combina o olhar que abarca o contexto geral ao mesmo tempo em que se afina sobre a atuação individual que pode ocorrer no dia-a-dia da sala de aula.

Em 2001, durante uma reunião plenária do IV Congresso da Sociedade Internacional de Português-Língua Estrangeira, uma conferencista canadense mencionou que, sempre que está em auditórios, senta-se no fundo para poder contemplar o ambiente como um todo e as pessoas nele. Vinda de um país com quase 10 milhões de quilômetros quadrados, captar o todo é a escolha mais de acordo com sua natureza. Para estar em sintonia com o contexto maior, é importante manter-se bem posicionado e aberto, em contato com situações e pessoas de outras áreas. Orientar ações específicas de forma interligada com a grande rede de acontecimentos exercita o pulsar das capacidades da inteligência. O complexo e o simples. O global e o local. A análise e a síntese. A cada novo ângulo, quantas nuances e possibilidades.

Quem está na floresta não vê a floresta

Quando se está na faculdade de Letras, por exemplo, parece que o único lugar reservado ao formando no mercado de trabalho é a sala de aula, ensinando em um curso ou uma escola. Da perspectiva de quem está fora da universidade, vemos aqueles que passaram por Letras exercendo uma variedade de atividades. Entre elas estão: *professor civil ou militar de Português ou línguas estrangeiras na rede pública e privada para os 1º, 2º e 3º graus, professor para secretárias, advogados e outros profissionais em empresas, professor de cursos preparatórios para concursos, professor de técnicas de redação empresarial ou de oficinas de expressão escrita, proprietário, diretor ou coordenador de escolas e cursos de línguas, criador de pool ou cooperativa de professores de diferentes línguas, organizador e participante de consultoria lingüística, funcionário de consulados e embaixadas, secretária bilíngüe e trilíngüe, intérprete, tradutor, revisor, redator de conteúdo para a internet, desenvolvedor de materiais didáticos (livros e CD-ROMS), pesquisador, escritor e palestrante, entre outras posições.*

O cardápio é aberto. Muitos gostariam de ter sabido que há mais escolhas do que se imaginava ao prestar Vestibular e, mesmo depois, durante os anos como estudante na universidade.

Hoje entendemos que, **qualquer que seja a carreira escolhida, o diploma é como um leque, que abrimos em diferentes direções.** Há momentos em que recolhemos uma ou mais hastes, recomeçando a abri-lo de modo original, mais de acordo com os objetivos e as contribuições que aspiramos fazer a partir de um determinado momento.

A nossa comunicação humana

Contemplando o contexto maior e sabendo que "temos que aprender onde nos situar... para extrair o máximo benefício disto" (Drucker), descobrimos que ensinar línguas implica atuar dentro do vasto campo da comunicação humana com suas duas dimensões, verbal e não-verbal.

Abrindo as lentes

Linguagem não-verbal

transmitida pela linguagem do corpo através de gestos, expressões faciais, tom de voz e a própria presença física.

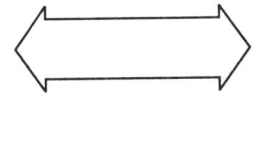

Linguagem verbal

manifestada através do discurso falado ou escrito com, pelo menos, um idioma em comum entre os interlocutores.

Seja numa conversa ou numa negociação, também trabalhando, ensinando ou nos divertindo, todos nós utilizamos simultaneamente estas dimensões, com espaço, inclusive, para a eloqüência do silêncio. Pode-se dizer que as palavras constituem o conteúdo da comunicação, enquanto o tom de voz, a presença física, os gestos e as expressões faciais compõem o contexto. Estes aspectos objetivos e subjetivos combinados são os transmissores da mensagem, cujo significado dependerá da interpretação que o interlocutor fizer deste conjunto.

Há tempos, passeando em Foz do Iguaçu, encontrei um turista que falava grego e alemão. Porém, nada de Português, Inglês ou Espanhol. Cada vez que ele dizia *natur!* levantava os braços, maravilhado com a paisagem à volta. Eu respondia *natureza*. Embora houvesse disposição

Numa das belas passagens de seu livro *Eu me lembro, sim, eu me lembro*, Marcello Mastroianni mostra a sua capacidade de capturar a intenção comunicativa além das palavras, captando mensagens também no tom de voz, na atitude e no contexto.

"Certa vez, eu estava caminhando pela Via Del Corso, em Roma, quando ouvi alguém dizer atrás de mim: 'Nossa, quantas rugas! Viu como ele envelheceu?' Isso foi dito bem alto, para que eu escutasse mesmo.

Em Nápoles, disseram-me: '*Marcellì*, estamos ficando velhinhos, hein? Vamos tomar um café?' Vêem a diferença? Que elegância, que bondade d'alma."

Em suas reminiscências, Mastroianni prova que até em silêncio nos comunicamos.

"Mantenho com Marco (Marco Ferreri, diretor de cinema) uma relação que vai além da profissional. Para mim, ele tem uma grande qualidade: fala pouco. Nossa relação é feita de longuíssimos silêncios, absolutamente serenos. Mas nos entendemos nesses silêncios..."

mútua para conversar, nossa comunicação não passou disto. Simplesmente não compartilhávamos de formas mínimas, de estruturas lingüísticas básicas que nos permitissem falar.

Em outra ocasião, visitei uma típica loja japonesa onde todos os detalhes da construção e ambientação remetiam a uma experiência daquela cultura. Quando o vendedor japonês percebeu que eu era do Brasil, tentou lembrar-se de algo em especial para dizer. Vendo seu esforço, sugeri a mais conhecida das expressões: *tudo bem?* Ele balançou negativamente a cabeça. Pensou um pouco mais, então, olho no olho, disparou *eu te amo*. Depois do susto, foi a minha vez: *arigatô!* Então, rimos.

Esta é a mágica das línguas. **Para que haja comunicação, é preciso um idioma, uma ponte lingüística feita de blocos chamados palavras, unidos pelo cimento lógico e organizador da gramática.** Assim, quanto mais blocos, mais longe se pode chegar. É para nos relacionar, fazer trocas e obter o que procuramos que aprendemos uma nova língua. Quando a sabemos bem, podemos até subverter a ordem natural dos blocos, criando novos sentidos. É o que fazem os escritores, especialmente os poetas, com a sua matéria de trabalho, as palavras. As nossas mesmas palavras.

O mercado globalizado é aqui

Por muito tempo o ensino de línguas estrangeiras esteve sob o enfoque estruturalista, privilegiando a correção gramatical, o falar e escrever corretamente. Hoje o professor está mais voltado para a face comunicativa das interações humanas. Numa relação de interdependência, esta mudança de postura ocorre paralelamente a outros eventos como a globalização – uma realidade alavancada pela tecnologia, fortemente aplicada à informação e à comunicação nos quatro cantos do mundo.

Peter Drucker disse: "Com a internet – mas também (e ainda mais) com a televisão e os telefones portáteis –, praticamente todos hoje em dia, a não ser os que estão em áreas distantes e isoladas, são parte de uma comunidade mundial de informação. E isso é a globalização." Revista *Exame* de 28 novembro 2001, pág. 49.

Abrindo as lentes

No Rio de Janeiro, viver numa comunidade globalizada é uma experiência cotidiana. Em todos os lugares, estão os novos moradores, profissionais expatriados, participando da vida da cidade. São estes cidadãos internacionais, com suas línguas estrangeiras, às vezes estranhas, que andam pela praia de Botafogo, onde há muitos escritórios, ou pelo Centro, especialmente na hora do almoço. Também estão no calçadão das praias, passeando com seus bebês. Ao vê-los em supermercados, academias de ginástica, restaurantes, lojas e consultórios médicos, sabemos que não se trata de turistas de verão. Estão aqui a serviço das filiais de suas empresas fazendo negócios e utilizando os mesmos serviços que nós.

Viver no ir e vir de uma comunidade globalizada também significa, por exemplo, que um professor de Português pode ser chamado a assumir um posto na Espanha, onde algumas empresas e mesmo grandes lojas de departamento fazem questão que seus funcionários sejam fluentes na língua dos consumidores do país vizinho, Portugal. É na Espanha também que os médicos estudam arduamente para passar em concursos públicos, que incluem exame de Português, a fim de exercer a Medicina, em Portugal, por bons salários. E, tanto na Europa como aqui, surge a mesma questão: falantes de espanhol, em contato com o Portu-guês, produzem o conhecido *portunhol*.

Simultaneamente, é cada vez maior o número de profissionais que chegam ao Rio de Janeiro já tendo iniciado o apren-

> Movidas pela busca global por melhores condições de vida, pessoas de todas as áreas e especialidades convivem em cenários totalmente originais. Recentemente, uma estudante britânica, para quem o Galês é a primeira língua, o Inglês, a segunda, e o Português, a terceira, fez o seguinte relato:
>
> "Quando me encontrei hospitalizada em Londres, em 2001, fiquei surpresa de ser tratada por uma equipe internacional de profissionais. O cirurgião era da África do Sul, minhas enfermeiras eram da Malásia e Espanha, o fisioterapeuta era de Israel e o radiologista, australiano. Para muitos, o Inglês não era a primeira língua. Apesar do Inglês deles não ser perfeito, não tive dificuldade para me comunicar com eles. Quando eu voltei para o Brasil e comecei a usar o Português de novo, estava menos preocupada em falar corretamente. A experiência me deu a confiança para usar mais minha nova língua, à medida que eu me preocupava menos se estava usando o tempo verbal correto."

dizado da nossa língua em Londres, Houston, Nova York, Madrid, Buenos Aires e em outras capitais de negócios ao redor do mundo.

Quantos serão os profissionais e estudantes de universidades e escolas engajados com o ensino e aprendizagem do Português no exterior? O que vemos, portanto, é que **o mercado globalizado, que se expande e se transforma, alimenta uma necessidade primordial: a comunicação entre as pessoas.**

Sobre o desaquecimento econômico e o nosso maior desejo

Ainda com a intenção de nos situarmos em relação ao mundo e aos novos tempos, vale lembrar que o terceiro milênio começou com o desaquecimento dos países mais ricos, seguidos por todos os demais, acentuando uma tendência sincronizada: a falta de emprego. Uma dificuldade, portanto, global. Para cada pessoa que tem um serviço a oferecer, seu maior desejo hoje é que o mercado, ou seja, as empresas, a sociedade ou os indivíduos comprem o seu serviço, qualquer que seja o setor a que pertençam.

A sociedade divide-se basicamente em três setores. O primeiro é representado pelo Governo. O segundo é composto pelo conjunto de empresas privadas que visam ao lucro, à remuneração dos acionistas e de seus funcionários, tendo o foco firmemente voltado para resultados. Finalmente, o terceiro setor, que tem crescido exponencialmente, engloba as organizações não-governamentais, que trabalham com metas sociais e sem fins lucrativos.

No fim da década de 90, especialmente em 2001, foi possí-

> Após participar de um seminário em uma universidade mineira entre professores universitários brasileiros e profissionais ligados ao setor de petróleo, um americano mencionou uma das diferenças entre o mundo acadêmico e o corporativo. "Lá há menos pressão. Tudo é mais informal, sem prazos rígidos."
>
> Outro estudante, tendo sido promovido e necessitando melhorar seu desempenho em Português, recebeu do chefe de Londres carta branca para investir tempo e dinheiro em seus estudos com uma condição: apresentar resultados. Este é o mundo dos negócios e sua métrica.

Abrindo as lentes

vel observar que a atitude dos profissionais expatriados no Rio de Janeiro mudava. De uma postura isolada e um ligeiro desprezo pelo Brasil, nossa língua e cultura, passaram a valorizar o fato de estarem aqui, detendo postos de trabalho que desejavam assegurar. Parecia que tinham acabado de nos descobrir, surgindo com isto um novo comportamento em relação ao país, que começava a ser visto como mais promissor.

Tornou-se claro que, em meio a uma pequena legião de expatriados, aumentava o número daqueles capazes de abordar os parceiros brasileiros em reuniões ou funções sociais falando em Português, desta forma, comunicando respeito à cultura e possibilitando agilidade nas conversações e decisões de trabalho. Invariavelmente os brasileiros reagiam comentando: este realmente aprendeu o Português; ele entende a gente; é mais fácil fazer negócios com ele. Numa conjunção favorável, o próprio contexto brasileiro mudava para melhor, assim como as lentes através da quais éramos percebidos.

É justamente no segundo setor da economia onde se concentra grande parte dos profissionais e empresas que podem *comprar* o trabalho que você, professor, tem a oferecer, como cursos de Português para estrangeiros e consultoria intercultural. O mundo corporativo também consome os produtos de muitos outros educadores e facilitadores, sendo que, neste contexto, produto diz respeito a serviços e materiais que promovam a formação e capacitação de pessoas no ambiente profissional.

Empreendedorismo: proatividade total

Quando o professor tem um cliente a quem oferece um serviço – curso básico de Português, por exemplo – diferentes resultados são gerados. O estrangeiro poderá se comunicar em Português,

> Em *O Novo Mercado de Trabalho: um guia para iniciantes e sobreviventes*, o autor utiliza o saquinho de chá como metáfora do emprego. Dentro dele, de forma organizada, está o chá, ou seja, o trabalho, ao qual se prende uma etiqueta informando o respectivo salário. Porém, hoje não temos mais o saquinho. O chá está solto. As antigas etiquetas também não existem mais.
>
> Na falta de empregos sólidos, é a vez do empreendedorismo. Sobe, portanto, a figura do empreendedor, aquele profissional que trabalha em um ou mais projetos simultaneamente para diferentes pessoas ou instituições.

usando a nova língua em situações de trabalho que beneficiarão os negócios de sua empresa, além de facilitar sua vida pessoal. Para o professor, o relacionamento com a empresa poderá continuar se for chamado a iniciar outros projetos para o mesmo cliente, para outras pessoas naquele escritório, podendo ainda ser recomendado para outras firmas.

Ensinar a Língua Portuguesa e facilitar a aproximação com a cultura brasileira, seus valores e estratégias são projetos desenvolvidos para e com expatriados no Brasil. Tudo depende de duas palavras que se casam: oportunidades e resultados.

A primeira lição sobre projetos

Há alguns anos, tive uma estudante porto-riquenha. Nossas aulas eram na cozinha, o generoso espaço de interações da casa. Numa manhã, o telefone de parede tocou e, ao atender a ligação, a aluna começou a conversar, indo do espaço-copa para o espaço-cozinha, dando voltas para alcançar uma xícara ali e, mais adiante, a cafeteira. Literalmente enrolada no longo fio do telefone, disse para a amiga: *"I have many projects in the house"*. Então, pensei: *projetos? Que projetos ela teria na casa?* Filha de arquiteto, projeto para mim era desenhado em papel vegetal, sobre uma prancheta, com muito burilamento criativo e matemático saindo pela ponta do lápis. Daí, completou: *"I'm going to change all the light bulbs in this house"*. Um choque de percepção. Mais uma vez o talento americano para conferir magnitude a tudo que fazem, como a simples troca de todas as lâmpadas da casa. Ali estava a constatação: **a toda tarefa, pequena ou grande, pode-se emprestar o charmoso título de** *projeto*.

O novo trabalho constitui-se, portanto, de projetos. Para cada um deles há objetivos, um espaço físico e custos associados. Em geral, ocorrem simultaneamente, tendo início, planejamen-

> Uma propaganda publicada na revista americana *Fast Company* dizia: "Se você responde a mais de três perguntas por dia no seu trabalho, você é um gerente de projeto".
>
> Sob este ponto de vista, que professor não se qualifica como tal?

to, execução, avaliação e finalização. O importante é que você possa costurá-los na sua mente, construindo um quadro mental, entendendo a situação global e dando-lhes um sentido.

Você sozinho no espelho

A falta de estabilidade, dos benefícios de um emprego regular e até a inexistência de um chefe a quem delegar as decisões mais importantes podem não ser o ideal da maioria. Do longínquo século V a.C, o axioma aristotélico **conheça a si mesmo** permanece atual. A vida e o trabalho dos autônomos dependem basicamente da capacidade de identificar oportunidades, assumir responsabilidades, correr riscos e gerenciar o tempo. Como na lição de Drucker, trata-se "de aprender a assumir a responsabilidade de administrar a nós próprios". Por isto, os empreendedores desenvolvem uma melhor percepção do seu potencial. Superar limitações pessoais não é luxo. É necessidade.

Liberdade é uma palavra larga. Inclui várias interpretações. Se a profissão é uma faceta da história da sua vida, nela liberdade aplicada pode começar por se ter nas mãos a decisão de planejar a sua semana, a sua agenda. No Rio, é fácil encaixar um almoço ou café para rever ex-clientes e o pessoal das empresas que fazem parte da sua rede de contatos. Do mesmo modo como se pode, vez por outra, ir a exposições, praticar uma atividade esportiva ou chegar mais cedo em casa. Porém, sempre há um ou outro fim de semana dedicado à preparação de propostas de trabalho para um cliente, à organização do conteúdo de um curso ou ao ensaio de uma palestra. Muitas vezes, nos intervalos entre aulas ou em algum horário mais generoso de almoço, projetos paralelos como escrever um livro, por exemplo, são levados adiante. Segundo Debra Benton, **muitos falam em economizar tempo, porém, para o empreendedor individual, em especial, tempo é questão de uso e não de economia.**

Assim vão sendo tecidos os fios que constroem e sustentam uma carreira. Carreira de empreendedor, que a todo dia pede mais uma atitude proativa. E também paciência, confiança e jogo de cintura.

Ensinando Português no Mundo Corporativo

Nem tudo são flores

Como em tudo na vida, há prós e contras no empreendedorismo (sobre o tema, visite www.dolabela.com.br). Oferecer cursos a diferentes corporações implica lidar com os aspectos que podem ser tanto positivos como negativos.

No Rio de Janeiro, para quem começa pela manhã, por exemplo, em Botafogo, segue para duas firmas no Centro, dá aulas em Ipanema, à tarde, ou no Leblon, à noite, uma das principais desvantagens de ensinar em diferentes lugares é meteorológica. No longo verão, o calor nas ruas é excessivo. No entanto, a paisagem faz o contraponto, amenizando deslocamentos, permitindo um diálogo com a cidade, as montanhas e o mar.

Ter o próprio método de trabalho e ser reconhecido por isto, representar pessoalmente a cultura brasileira e ver resultados rápidos do seu trabalho, fazendo contribuições práticas na vida dos seus clientes e empresas são aspectos que dão hierarquia aos esforços do dia-a-dia. Lidar com pessoas ouvindo sobre experiências dos mais diversos países e assuntos podendo aperfeiçoar seus conhecimentos de línguas estrangeiras é como viajar pelo mundo sem sair do Brasil.

Por outro lado, conciliar horários flexíveis e os espaços na semana com as agendas imprevisíveis de alguns clientes, além da demanda pelo *horário nobre* (as primeiras horas da manhã, o período do almoço e o fim da tarde) é como fazer a *engenharia das horas*. E ainda os rendimentos variáveis e a falta de colegas para trocar experiências acadêmicas exigem do profissional autônomo criatividade e organização.

Acima de tudo, o profissional independente precisa contar consigo mesmo. Referindo-se à fábula da galinha dos ovos de ouro, Stephen Covey (1989) afirma que a continuidade da produção depende diretamente da renovada capacidade física, mental e emocional de sua fonte. Assim, o professor necessita gerenciar atentamente as variáveis que influenciam e movem seu equilíbrio, garantindo sua produtividade e bem-estar.

Deslocando a imaginação pelo mapa, quais seriam as variáveis encontradas pelos profissionais em Porto Alegre, Belo Horizonte ou Recife? O que diriam os professores de Lisboa, Maputo, Luanda e de outros países do mundo?

How's business?

Sempre que perguntada sobre o que fazia, uma professora de inglês americana que morava no Rio de Janeiro respondia: *I'm in the teaching business*. Ou seja, dizia que estava no *ramo de ensino*. Porém, quando algum estrangeiro me cumprimentava perguntando *how's business?*, eu me indagava *que business?* Estranhava a pergunta porque ainda não compreendia que **ensinar, assim como vender, administrar ou operar é um negócio**. Inclui entre outras iniciativas apresentar, oferecer e aperfeiçoar seus serviços; manter contatos com diferentes escritórios estabelecendo um relacionamento com as empresas; estar a par das necessidades do cliente e da concorrência; negociar custos e resultados; e saber opinar sobre diferentes assuntos.

Ouvir é uma forma de descobrir-se sob novos ângulos nas palavras dos outros. Quando um escandinavo, com o pouco Português que tinha, referiu-se a mim dizendo devagar *mulher de negócios*, ficou mais claro o respeito que os estrangeiros têm pelo trabalho em si e por quem o realiza. Ensinar é, portanto, um negócio.

Que tipo de professor você é?

Para aqueles que acreditam e repetem que todo professor é um coitado, assim será. Porém, se "descobrir consiste em olhar para o que todo mundo está vendo e pensar uma coisa diferente" (Albert Szent-Gyorgy, Prêmio Nobel de Medicina), ser professor abrange assumir o papel de provedor de recursos e conteúdos capazes de acessar e revelar o potencial das pessoas. É ser um difusor de entendimento e confiança, promovendo os meios para se alcançar objetivos. Se, como professora, acredito que contribuo para o crescimento e a satisfação dos alunos, assim é para mim. De uma forma ou de outra, as expectativas individuais se realizam.

Ensinando Português no Mundo Corporativo

Caso perguntem se estamos dispostos a correr o risco de ser professor a vida toda, Peter Drucker tem a resposta: "A educação será a indústria de maior crescimento nos próximos 20 anos, acompanhada apenas pela saúde". E mais: "Dar seqüência à formação de adultos será uma grande área de crescimento da sociedade do futuro". Revista *Exame*, 3 de abril de 2002, pág. 8.

O pulo do gato

A tendência de polarização e exclusão que aceitamos sem pensar coloca-nos diante de dilemas em lugar de escolhas. Devemos seguir nossa vocação *ou* buscar sucesso profissional; é melhor que nos dediquemos ao trabalho *ou* à vida pessoal? Vivendo esta fragmentação, pensamos que um desejo não pode ser acompanhado por outro igualmente genuíno.

Do mesmo modo como optamos por integrar a vida, o trabalho e as pessoas, podemos também adotar a genialidade do *'e'* proposta pelo americano James Collins, especializado em negócios. Deste modo, é possível ser professor *e* ter reconhecimento; ensinar *e* ter ganhos financeiros; trabalhar com afinco *e* com prazer. A integração faz com que as mudanças sejam vividas em um contexto maior, onde as relações ganham novo sentido.

Segundo Pierre Weil em *A Arte de viver em paz*, passamos por "... um momento de síntese, integração e globalização. Nesta fase, a humanidade é chamada a colar as partes que ela mesma separou..." Com o tempo passei a me conduzir em sintonia com a visão apontada pelos estudantes estrangeiros. Hoje, *how's business?* é uma pergunta totalmente compreendida.

Na sociedade pós-industrial, cujo foco está no setor de serviços, os profissionais do conhecimento detêm um poder. Como professora de Português como segunda língua e representante direta da cultura brasileira, sou também mediadora interculturalista. **Em cada aula ou consultoria, meu negócio me faz comprometida com o aprendizado e crescimento do cliente que, sistemicamente, se torna o meu crescimento e aprendizado.**

Abrindo as lentes

O próximo passo

Já estendemos nossas lentes de longo alcance considerando o cenário global. Exploramos o mercado e o empreendedorismo. Sabemos que as corporações investem em projetos no mundo todo e que os professores de línguas são convocados a compartilhar seus conhecimentos lingüísticos com as comunidades de profissionais em postos de trabalho em todos os continentes. É hora de fechar o foco aproximando o olhar para o ensino de Português para estrangeiros e o mercado de trabalho correspondente no Rio de Janeiro. Para começar, que língua é esta? Qual é o seu papel no mundo? Onde há trabalho para os seus professores?

Capítulo 2

A Língua Portuguesa e o Brasil

A Língua Portuguesa e o Brasil

A nossa língua no mundo

Para o historiador Samuel Huntington (1996), as distinções mais importantes entre os povos não são ideológicas, políticas ou econômicas. São principalmente as nuances culturais que aproximam ou afastam os quase 200 Estados ao redor do globo. O mundo, portanto, divide-se em civilizações, sendo cada uma delas o resultado de uma combinação única de história, religião, idioma e todos os elementos tradicionais culturais, incluindo pressupostos filosóficos, valores e símbolos, relações sociais e formas de ver a vida. Estes aspectos juntos funcionam como verdadeiros filtros formadores das realidades locais.

As civilizações no mundo

1. Ocidental (Estados Unidos, Canadá, Europa Ocidental, Austrália e Nova Zelândia);
2. Islâmica (os países de maioria mulçumana, no norte e na costa leste da África até o Paquistão, incluindo a Malásia);
3. Ortodoxa (Rússia e países eslavos);
4. Hindu (Índia e países sob sua influência hinduísta, como Bangladesh);
5. Chinesa (China e arredores, como Vietnã e Coréia);
6. Japonesa (distintamente o Japão);
7. Budista (Sri Lanka, Birmânia, Tailândia, Laos, Camboja, Tibete, Mongólia e Butão);
8. Latino-americana (México, países da América Central e do Sul); e
9. Africana (na sua região subsaárica).

Obs.: Alguns países devem ser considerados individualmente. Guiana, Guiana Francesa e Suriname, por exemplo, não são considerados por Huntington como latinos.

Depois do Mandarim (Chinês), Inglês, Espanhol, Bengali, Hindi e Árabe, o Português é a sétima língua mais falada no mundo, com aproximadamente 200 milhões de falantes espalhados por oito nações em quatro continentes. Portugal, Brasil, Guiné Bissau, São Tomé e Príncipe, Cabo Verde, Moçambique, Angola e Timor Leste constituem a Comunidade dos Países de Língua Portuguesa, (CPLP), que busca consolidar as bases para o desenvolvimento colaborativo, particularmente nos domínios econômico, social, cultural, jurídico e técnico-científico. Além disto, os países lusófonos tratam de projetos de promoção e difusão da nossa língua, através do Instituto Internacional da Língua Portuguesa. Sobre a CPLP, consulte www.cplp.org. Para navegar na rede do mundo lusófono, explore www.gertrudes.pt. Sobre as 50 línguas mais faladas no mundo, visite www.globallanguages.com/knowledge/languages.html

Sob a perspectiva das civilizações proposta por Huntington, a Língua Portuguesa está oficialmente presente na fala de diferentes povos de quatro culturas: ocidental, latina, africana e islâmica. Acompanhando a antiga rota dos navegadores portugueses sobre um mapa, entendemos como a comunidade lusófona estendeu-se, ainda que não oficialmente, por localidades como Diu, Damião e Goa, na Índia, além de Macau, na China, onde o Português se mescla com as culturas hindu e chinesa.

Mesmo não sendo bem conhecido no cenário internacional, **o Brasil como um todo e o Rio de Janeiro especificamente são duas marcas fortes**. O poder destes dois nomes é impressionante. Por isto, profissionalmente, me apresento como professora carioca de Português do Brasil. Isto é valor agregado.

A relevância da língua como atividade social e a dimensão das identidades culturais estabelecem o fundamento e a oportunidade para a consultoria intercultural, que nos espera mais adiante no Capítulo 6.

Português, mil e uma utilidades

Aprendido como segunda língua, quando o estrangeiro vive em um dos países lusófonos, o Português é um universo de conhecimentos. Além da dimensão lingüística, abrange um patrimônio de experiências que pode ser reativado em diferentes circunstâncias da vida.

A Língua Portuguesa e o Brasil

Como no caso de expatriados que, tendo vivido no Brasil, ao serem transferidos para países lusófonos, como Angola, causam surpresa ao chegarem comunicando-se em Português. O fato não só os ajuda no entrosamento com as equipes, como também os coloca em destaque porque podem facilmente participar de reuniões e fazer contatos com profissionais e autoridades locais. O Português, neste caso, é uma ponte.

O que se pode dizer sobre o ensino de Português como língua materna? Dirigido aos profissionais brasileiros especificamente, há muito trabalho a fazer. Existe demanda para *workshops* diferenciados sobre comunicação oral e escrita, incluindo desde como falar em público até como escrever documentos, pareceres técnicos e *e-mails* eficazes. As revistas de negócios informam sobre profissionais independentes e consultorias lingüísticas que vêm atendendo exclusivamente a estas necessidades de mercado.

> "Há menos de um mês demiti um funcionário da área comercial porque, entre outros problemas, ele tinha dificuldade com a Língua Portuguesa. Escrevia coisas erradas, não acertava o foco do texto, ou até mesmo o tom, já que eram documentos formais. Era um funcionário que precisava escrever relatórios e propostas para clientes. Se para qualquer emprego é fundamental ter clareza e facilidade gramatical, mais ainda para esta função. Observo cada vez mais a necessidade de conhecer a língua e exijo isto antes de dar emprego..." depoimento de um profissional brasileiro à Revista TUDO, de 22 março 2002, pág. 37.

Entre outras as oportunidades, todo *website*, com ou sem muita tecnologia agregada, baseia-se em informação escrita, organizada de forma coerente, concisa e correta. Cuidar da forma e do conteúdo simultaneamente é uma antiga receita de sucesso. O professor, natural e profissionalmente, cultiva grande afinidade com estes dois ingredientes. Participando da construção de *websites*, pude comprovar que os conhecimentos e habilidades técnicas dos professores são de grande valor também na realização de projetos virtuais. A *internet*, portanto, também pode gerar trabalho.

O mercado para professores de Português para estrangeiros

Em 3 de agosto 2002, Joelmir Beting publicava em *O Globo*: "Fomos o terceiro maior receptor do mundo de capitais das multis nos últimos oito anos, atrás somente dos EUA e da China". Ainda que recentemente tenha ocorrido uma forte redução neste fluxo, profissionais especializados e das mais diversas nacionalidades continuam chegando a várias cidades brasileiras para viver e trabalhar, criando novas oportunidades de ensino de Português em empresas transnacionais.

No Rio de Janeiro, as indústrias se identificam com o potencial local de recursos naturais e com a infra-estrutura existente para negócios, conquistando, além dos grandes grupos de petróleo e de telecomunicações, empresas afins como as de *leasing* de equipamentos e logística. Há prestadoras de serviços jurídicos e contábeis, de tecnologia da informação, transportes e assessorias diversificadas. Contamos com a indústria financeira, representada pelos bancos estrangeiros e consultorias, além de representações diplomáticas, empresas de vigilância territorial, grandes firmas de advocacia, mineração, tintas e alimentação, entre outros negócios. Cada indústria tem seus valores e costumes quanto às relações interpessoais e o ritmo de trabalho. Assim, o ambiente e a dinâmica nas empresas de petróleo são diferentes do que se vê nas companhias de telecomunicações, por exemplo. Além disto, em um mesmo ramo, se a corporação for norte-americana ou européia, os perfis tendem a ser igualmente distintos.

No primeiro dia do curso *"O Ensino de Português para estrangeiros e o Mercado de Trabalho no Rio de Janeiro"*, na UnB, ouvi os estudantes comentarem sobre os problemas e as limitações das oportunidades no Distrito Federal e também sobre a esperança de obterem empregos públicos, ainda que em áreas ou órgãos desvinculados da sua área de estudos. No segundo dia, ao ver um jornal local, tive uma surpresa. A edição que tinha em mãos era muito diferente dos jornais cariocas em termos de diagramação. As manchetes apareciam em letras maiores e as cores das fotos eram mais vívidas. Em todas as páginas havia uma sensação de calma, transmitida pelos espaços em branco. Enfim, cada coisa tinha o seu lugar. Mais tarde, saindo do *campus* da universidade, percebi melhor o espaço entre as construções, os edifícios cercados de gramados, a terra vermelha e o horizonte. Na minha lembrança estão, portanto, os registros de construções quadradas e ângulos retos ao longo do Plano Piloto. Daí, o *insight*: naquele ambiente arquitetonicamente planejado, eles provavelmente identificavam as oportunidades separadamente sem perceber as suas relações e as possíveis interseções.

Em aula, compartilhei minhas observações. Como Distrito Federal, Brasília está muito identificada com o primeiro setor da economia – a esfera das entidades e postos de trabalhos governamentais –, uma área cada vez mais limitada. Por isto, é compreensível que se preocupem com a diminuição das oportunidades de trabalho.

Em São Sebastião do Rio de Janeiro, as empresas encontram-se localizadas principalmente nos poucos quilômetros entre a praia de Botafogo e o centro da cidade, recentemente chegando à Barra da Tijuca, fortemente atraídas pela paisagem à beira-mar.

Com isto, desde o ambiente físico, há grande dinamismo no Rio. Todos se encontram e tudo influi. Os setores da economia – governamental, privado e social – se espremem, num centro da cidade engarrafado e barulhento e, ainda assim, estimulante. Não há espaços livres, a não ser que você pegue uma barca e atravesse literalmente a Baía de Guanabara, ou entre pela Floresta da Tijuca – a maior floresta urbana do mundo – ou avance em direção oeste para a Barra da Tijuca. Deste modo, a realidade carioca faz com que todos os tipos de pessoas convivam diariamente, em muitos casos, exercendo mais de uma atividade profissional. Além da beleza natural, o Rio de Janeiro tem os mesmos problemas das grandes cidades e ainda outros.

Com base em minhas observações, comentei com os estudantes que, se morasse em Brasília, começaria a prospectar oportunidades de trabalho como professora de Português para estrangeiros nas embaixadas, um bom nicho, e nos escritórios de assessorias e *lobbies* que coalham a cidade. Não são poucos os estrangeiros que trabalham no Rio de Janeiro e que vão freqüentemente à capital federal, onde usam os escritórios dos seus parceiros e assessores antes de participarem de reuniões com clientes e autoridades brasileiras. Esta pode ser uma ponta de mercado no Distrito Federal. Provavelmente há muito mais em termos de projetos envolvendo o ensino de línguas e consultoria intercultural.

Oportunidade, muitas vezes, é questão de lentes ou de jogo de cintura. Para situar-se melhor, considere sua cidade sob novos ângulos. Ande pelas ruas, converse e ouça o que dizem por aí, reflita sobre as notícias. Se "... o principal conhecimento do empreendedor não está nos livros, mas à sua volta, nas pessoas, no mercado, no mundo...", como ensina Dolabela (1999), redescubra o lugar onde você está e reinvente sua atuação nele.

Tomando consciência das dimensões cultural e socioeconômica da Língua Portuguesa no cenário mundial, e conhecendo, em linhas gerais, o potencial do mercado para ensinar Português, investigaremos a seguir quem são os novos falantes do nosso idioma, assim como pressupostos e práticas que permeiam a relação entre o professor e seu cliente, o aluno.

Capítulo 3

Apurando o foco

No mundo dos negócios: ensinar a quem e para quê?

Segunda-feira. Quinze para as oito da manhã. Na sala de reunião de um escritório bem montado, começo a marcar o jornal antes da primeira aula do dia com um estudante internacionalmente chamado de *expatriado*. O curso todo se desenrola na empresa, por isto, a sala de aula é o próprio território de trabalho e negociações dele. As situações envolvem interações autênticas, desde atender telefonemas, solicitar o café, receber visitas, ser interrompido para resolver problemas com a equipe e tentar compreender, em Português, por que o valor da nossa moeda cai vertiginosamente em dois dias, o que é o Mercosul e quem são os candidatos da próxima eleição no Brasil.

Normalmente, os alunos são profissionais tecnicamente muito capacitados que trazem consigo um mosaico de valores e experiências de vida que difere muito da nossa realidade. Têm entre 30 e 55 anos aproximadamente. As esposas estudam em suas residências ou em grupos nos cursos de idiomas. Os filhos vão para escolas bilíngües. Há poucas mulheres executivas neste cenário em que os profissionais não têm uma só pátria, nem um só endereço. A maioria viaja muito, podendo cruzar continentes a cada mês.

As equipes de uma mesma empresa são, muitas vezes, multiculturais, o que é bom para os negócios pela convergência de diferentes visões. Entre um escandinavo, um sul-africano, outro americano, mais um espanhol ou chileno, imagine os graus de proximidade ou distância cultural com o Brasil.

Estes profissionais apresentam uma necessidade urgente de conquistar novas habilidades comunicativas a fim de trabalhar e negociar, seja no Rio, em São Paulo ou nas demais cidades brasileiras. Conhecer a nossa língua e o jeitinho brasileiro pode evitar, por exemplo, que uma autoridade vire o rosto para quem compareça a uma reunião no Distrito Federal falando somente Inglês ou o gelo recebido dos possíveis clientes brasileiros pelo fato do expatriado ignorar o nosso modo de fazer negócios. Por vezes, o conhecimento sociocultural é o que falta a dirigentes de multinacionais para que acertem o passo na dança das negociações em terras tropicais. Ou seja, não se preparar para o Brasil pode comprometer seriamente o planejamento corporativo.

Além do trabalho, as circunstâncias da vida pessoal provam que o Português é vital para o recém-chegado. É preciso ter palavras para lidar com o inesperado, da internação hospitalar às batidas de trânsito, inclusive as surpresas de quem acha que está sendo preso quando, na verdade, está recebendo uma advertência policial por dirigir falando ao celular. Caso você estivesse de partida para a Alemanha ou o Japão, por exemplo, gostaria de aprender apenas alemão ou japonês para negócios? Aqui novamente ilumina-se o pressuposto que entrelaça vida, pessoas e trabalho num todo inseparável.

A parceria professor & aluno

As ciências estão mudando. A Física deixou sua visão mecânica do universo há quase um século. Atualmente, é na Biologia que se encontram os novos modelos para os avanços em tecnologia e negócios. A bióloga greco-americana Elizabeth Sahtouris, ex-professora do MIT e consultora, usa os princípios da evolução para criar modelos de mudança organizacional. Em linguagem simples, ela afirmou na revista *Exame* de 28 de novembro de 2001 que "negócios são feitos por pessoas. Qualquer sistema composto de entidades vivas é ele mesmo uma entidade viva".

No ambiente de aprendizagem, professor e aluno formam uma parceria em que ensinar e aprender Português são faces de um mesmo processo. Portanto, esta parceria é como uma célula; é orgânica. Nela influem aspectos tangíveis e intangíveis, interdependentes, como:

- as expectativas e a bagagem de conhecimentos de ambas as partes;
- os hábitos de aprendizagem do aluno;
- o tempo dedicado ao estudo e a disposição para praticar, expondo-se a errar;

- a pressão positiva ou negativa que o trabalho na empresa exerce;

- o espaço físico disponível para a aula (sala individual ou compartilhada), os ruídos no ambiente e as interrupções (os estrangeiros, em geral, têm maior senso de privacidade e menor tolerância ao barulho, fatores que influem na concentração);

- as mudanças de equipes, as promoções de cargo, até mesmo as viagens mais ou menos constantes dos executivos;

- as experiências pessoais que o aluno vive: se tem amigos ou companheira brasileira e se utiliza o Português fora do escritório, entre outras variáveis.

Características da parceria

Segundo o professor Jayme Teixeira Filho (2000), "os comportamentos ideais para o aprendizado são os mesmos comportamentos ideais para a produtividade". Nos ambientes corporativos, as aulas são interações que incluem negociação, tomada de decisão, definição de prioridades, intercâmbio sobre valores culturais, além de conhecimentos de história, geografia e economia. Lições sobre liderança, gerenciamento do tempo, planejamento e compromisso com resultados ocorrem em situações reais no dia-a-dia.

Segundo um especialista da área de Recursos Humanos, os adultos, em geral, pensam que sabem tudo; por isto, gostam de falar e de mostrar o que conhecem. Assim sendo, digo que ensino Português de forma rápida e eficaz para simplesmente ouvi-los e aprender com eles. Trocamos livros, artigos e opiniões sobre os assuntos discutidos em aula, os nossos respectivos países ou interesses pessoais. Isto faz com que os papéis de professor e aluno se alternem, no sentido que "onde um ensina, dois aprendem" (Robert Half). O aprendizado é recíproco, colaborativo. Entre outras coisas, os alunos produzem ou aperfeiçoam tabelas de conjugação verbal, definem suas regras práticas de gramática e constroem visões do Brasil que incorporo e, com a permissão deles, compartilho com os demais.

PARCERIA

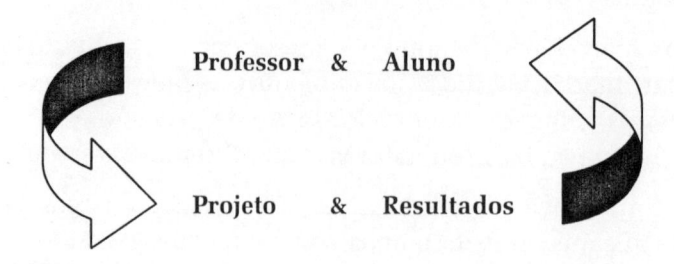

Professor & Aluno

Projeto & Resultados

A parceria nasce e se fortalece em função de um projeto, o "nosso" projeto, definido pela motivação e pelo objetivo específico de cada cliente. A vantagem das aulas individuais é fugir do modelo tradicional no qual os alunos relatam sentir-se, às vezes, como se estivessem de volta à "escolinha", longe de ver seus objetivos comunicativos atendidos. No espaço-tempo da aula de Português, fica estabelecido um território em comum onde existe um equilíbrio de atributos, como a **confidencialidade**, presente, por exemplo, quando seu cliente admite que necessita conversar com alguém que não esteja diretamente ligado ao trabalho para ganhar perspectiva em relação a certos assuntos.

Há também a **discrição**, que faz com que o professor tome a iniciativa de se retirar da sala para tomar um cafezinho quando o aluno recebe uma ligação importante ou sigilosa. A **flexibilidade** conta quando, por exemplo, todas as salas de reunião estão ocupadas ou o aluno não tem escritório separado ou, ainda, quando ele simplesmente está com fome. Assim, ocasionalmente, podemos estudar em um café, na recepção de sua empresa ou no *lobby* de seu hotel.

Em cada estágio, as conquistas comunicativas são comemoradas. Desde a pronúncia e o ritmo correto da fala, os primeiros *e-mails* em Português, inclusive as apresentações para pequenos ou grandes públicos, todo esforço é validado. As aulas são situações que promovem mudança de hábitos lingüísticos e culturais. **Respeito e encorajamento** são fundamentais.

Para o mau desempenho, há **feedback** construtivo e **orientação** que permitem ajustar os meios, ainda exercendo a licença para errar.

Tendo em mente a complexidade das circunstâncias de vida do expatriado, tenho grande consideração pelo empenho e pela dedicação individual. Da mesma forma, também respeito a decisão de cada um sobre o que fazer com o conhecimento adquirido, como no caso do presidente de empresa, que conhecia toda a gramática da nossa língua, tinha um extenso vocabulário e era tímido. Eu brincava com ele e com o pessoal da companhia dizendo que seu Português era *top secret*: parecia que só eu sabia que ele sabia. No entanto, a cada reunião de trabalho conduzida em Português pelos funcionários brasileiros, ele provava que entendia, ouvindo e, então, corrigindo em inglês as informações incorretas. Todos os dias, ele lia o jornal mantendo-se a par dos assuntos locais e em constante aprendizado. Porém, escolheu não falar. O professor não pode interferir no livre arbítrio de seu aluno. Converse com o expatriado em inglês, por exemplo, e observe o ritmo de sua fala. Se alguns são econômicos até com o próprio idioma, imagine em uma nova língua.

Finalmente, **a camaradagem** é o atributo que nos permite, uma vez ou outra, começar a aula lendo o horóscopo no jornal, até que sirvam a primeira xícara de café do dia, condição para que alguns alunos realmente despertem.

Cada caso é um caso

Quando um cliente critica ou faz comentários sobre outros, é importante saber ouvir e calar com convicção. Ou quando uma estudante, que apresenta dificuldades com a língua, no meio de um exercício gramatical, muda o tom de voz e se lamenta dizendo *I'm trying so hard*, querendo dizer que tem se esforçado muito, atenção. Certamente o Português não é o único motivo de suas preocupações. No caso das esposas dos expatriados, deixar tudo para trás, inclusive a profissão, para acompanhar o marido num novo continente, onde até a língua é diferente, significa uma grande carga. Há muitos fatores desestabilizadores envolvidos. No do Rio de Janeiro, para começar, o clima muito quente e úmido ou as notícias sobre a violência urbana são alguns deles. Você pode apoiar e, se possível, orientar os recém-chegados com a sua experiência deste território, tão novo para eles.

Há dias difíceis, quando o técnico da televisão não aparece, o ar-condicionado quebra e o cachorro de estimação fica doente. Ou então é por causa do governo, que, muda os impostos ou cria exigências que dificultam os negócios. Em ocasiões como estas, podem chover críticas ao Brasil repetidas em diferentes línguas. É verdade: o Brasil não é fácil nem mesmo para os brasileiros. Em situações de conflito, uma boa estratégia é considerar a situação como se estivesse de fora. Desta forma, é possível não só propor um encaminhamento para a questão, mantendo-se emocionalmente estável, como também influenciar positivamente a parceria.

O objetivo customizado

Nas empresas onde há mais de um estrangeiro, sempre querem saber quem é o melhor aluno, qual deles fala mais ou aprende mais rápido. Estas questões podem ser encaradas com tranqüilidade quando existe a convicção de que cada aprendiz realiza um processo, em ritmo e contexto absolutamente pessoais. Cabe ao professor dar apoio aos objetivos que o aluno elegeu e inspirá-lo a ir um pouco além, se for o caso.

Na primeira aula, quando começamos conversando em Inglês ou Espanhol, pergunto ao aluno qual é a visão que ele tem do Português, o que quer alcançar. Entre outras coisas, eles respondem: *quero me incluir; quero falar como o meu colega; quero ir à praia domingo de manhã e entender o que as pessoas me dizem.* Outros deixam claro: *eu quero a gramática; quero poder participar de reuniões.* E, ainda, *quero parar de falar espanhol no trabalho.* Ou o clássico *quero falar carioca.* Quando o estudante já conhece o idioma, em geral, busca aperfeiçoar áreas específicas, como desenvolver a compreensão auditiva, rever verbos, expandir vocabulário ou melhorar a pronúncia. Estes objetivos são como setas ou faróis orientando nossa trajetória.

Há situações interessantes em que a identidade parece perder-se momentaneamente. Um executivo, de férias em sua cidade, Nova Iorque, ao ver uma moça usando uma camiseta com a frase *eu sou carioca*, sem pensar, aproximou-se dizendo animadamente *"oi, eu também sou carioca"*. Na verdade, ninguém aprende Português e se desestrangeiriza. **Trabalhamos para favorecer ao máximo o potencial comunicativo do aluno. Também para que possa expressar suas posturas, deixando aqui sua contribuição.** Cada estudante britânico, húngaro ou espanhol, por exemplo, ganha comando da língua e da cultura brasileira, às vezes de forma excepcional, guardando mais ou menos sotaque, um dado revelador de sua identidade.

A fisiologia da experiência

Viver e trabalhar imerso em uma nova cultura é uma experiência sistêmica. Juntamente com resultados comunicativos, podem ocorrer mudanças sutis. Pouco a pouco, há os que incorporam nossos gestos e expandem a linguagem corporal, a começar pelo contato visual, antes evitado por alguns. A atitude reservada dá lugar a uma expressão mais ampla e confiante. Com a compreensão do novo espaço de atuação, tornam-se mais flexíveis e apreciadores dos valores locais. Quando um aluno começa a entender o contexto, deixando de reagir, preferindo divertir-se com o nosso jeito, pode-se brincar: *Está vendo? Parece que já é brasileiro.*

Todos têm potencial para desenvolver e, em geral, superam as expectativas. Autoconfiança e maior capacidade de comunicação interpessoal são bônus do processo. Há ainda outros benefícios como o reconhecimento que o expatriado pode receber de seus dirigentes, que, mesmo distantes, são informados sobre a desenvoltura com que o recém-chegado não só aprende Português, como também atua no ambiente social e empresarial brasileiro.

Ao final de uma aula, pouco antes de embarcar mais uma vez para a Europa, um aluno comentou:

Ensinando Português no Mundo Corporativo

— *Rumors are spreading*[1].

— Que rumores?

— *About this course*[2]. *No one understands how I can speak Portuguese if I have stayed in Brazil for only 90 days in all, with so many trips back and forth*[3].

Lembrei a ele que formávamos uma parceria e que os resultados eram conseqüência da sinergia no nosso trabalho.

As nacionalidades e os estilos de aprender

A Comunicação

O convívio profissional com estrangeiros nos torna capazes de identificar algumas características de certas nacionalidades, verdadeiras miniculturas. Os *suíços*, por exemplo, são os únicos que usam blo-

---
[1] Os rumores estão se espalhando.
[2] Sobre este curso.
[3] Ninguém entende como posso falar Português se eu fiquei só 90 dias ao todo no Brasil com tantas viagens para lá e para cá.

cos quadriculados. Como não tratamos de matemática, suponho que gostem do enquadramento disciplinar das linhas verticais e horizontais quando escrevem. Para eles e também para *austríacos* e alguns *escandinavos*, ofereça a gramática em bandeja de prata. Verbos, regras, muito dever de casa é o que esperam. E os resultados são ótimos. Em pouco tempo, a conversa corre solta e correta. Logo que chegou ao Rio de Janeiro, uma suíça entrou em uma loja de eletrodomésticos; apontou para a cafeteira elétrica, pagou e levou sem dizer uma palavra. Poucos meses depois, era esta mesma mulher que reclamava, em bom Português, dos carros estacionados sobre as calçadas do seu bairro, tomando o espaço dos pedestres e dos carrinhos de bebê.

Os *sul-africanos* são simpáticos e muito aplicados. Os *ingleses* trazem para o Português o humor e a pompa britânica e resistem ao "r" ao final das sílabas como na palavra *porque*, fazendo-a soar *poquê*. Falam devagar e escolhem as palavras. Os *escoceses* são surpreendentes pela flexibilidade e o jeitinho para tudo: da adaptação a nossa cultura até a fala.

Com os *espanhóis*, fica provado que língua é, em grande parte, questão de ritmo. Quando dois ou três colegas se encontram ou quando conversam ao telefone, não pense que estão brigando só porque falam mais rápido e alto. Em geral, os brasileiros ficam assustados. Porém, uma das habilidades comunicativas que praticamos em aula é a adaptação ao ritmo local. Assim, ao desligar o telefone, voltam a falar mais pausadamente com entonação apropriada, o que exige conhecimento e flexibilidade. Isto é adequação. Valide o estudante por este desempenho.

Sobre *americanos*, há os da costa leste e oeste, das grandes cidades e do interior e, com isto, uma infinidade de estilos. Cada um com sua história e modo de ser sem nunca deixar de ser absolutamente objetivos. Os *canadenses* evitam comparações e generalizações, tal é a diversidade dentro do seu próprio país. Como a maioria fala duas línguas, o Português vem fácil. *Italianos* (que senso de estilo eles têm), *peruanos*, *chilenos*, *uruguaios*, *franceses*, *alemães*, há todo um leque de traços culturais, mesclados às *nuances* pessoais. Uma riqueza.

Ensinando Português no Mundo Corporativo

Neste convívio, é importante estar preparado para conversar sobre muitos assuntos, de jardinagem à cirurgia plástica. Também sobre comidas exóticas, música, barcos, pedras preciosas e jóias. Sem esquecer de política, esportes radicais, perfuração de poços, aviões, radares, telefones, contratos e futebol, claro. Inclusive golfe, mesmo sem nunca ter tocado em um taco. Por causa de um estudante, fã das histórias do Asterix, li vários volumes da sua coleção em espanhol. Depois, comentávamos animadamente, em Português, os episódios e os diferentes aspectos do Espanhol em comparação com a sua nova língua.

A missão

Nos livros e em bons artigos, aprendemos que todo negócio é orientado por uma missão que, em diferentes escritórios, pode estar escrita em um painel na entrada para qualquer um ler. Consultando um amigo britânico sobre a missão que eu havia preparado, ele enviou da África do Sul a seguinte mensagem em um Português impecável.

> "A missão – você realmente precisa? Quando penso em missão, me lembro de John Kennedy e o projeto de colocar um homem na Lua. Ele disse *"our mission is to land a man on the moon"*[1]. Mas os astronautas não aceitaram. Disseram *"our mission is to land a man on the moon and to bring him back home safely"*[2]. Em vez de missão, eu diria objetivo, mas tudo bem. Comece com "o quê", e siga com o "como". O como pode ter três partes: informação, conhecimento e familiaridade cultural (sangue, suor e lágrimas, lembra?) E tem que dizer *quickly*[3] porque isto é uma grande vantagem de utilizar ou seus serviços. (E a parte final, não escrita, *"and make a bundle of money!"*[4])

---
[1] "nossa missão é levar o homem à Lua".
[2] "nossa missão é levar o homem à Lua e trazê-lo de volta para casa em segurança".
[3] "rapidamente"
[4] "e ganhar um monte de dinheiro!"

Assim, minha missão como professora de Português para profissionais estrangeiros é simples:

> ***Declaração de missão***
> Conduzir o expatriado para que se torne, no melhor tempo,
> um comunicador confiante em Português,
> ensinando-lhe a língua e os valores culturais brasileiros.

Com isto em vista, podemos avançar para uma área ainda mais específica, a aula de Português em si.

Capítulo 4

O foco é a aula

O foco é a aula

Antes de mais nada

Quando você vai ao escritório de um estrangeiro interessado em aprender Português, ele quer saber como funciona o curso, qual é seu método e sua experiência. Por outro lado, você quer saber se ele fala outras línguas e que horários vão ser alocados para as aulas. Após esta conversa, que pode durar de 10 a 30 minutos, comece a encantar seu cliente, tornando este primeiro contato uma aula experimental, conhecida como *trial class*. Esteja pronto para isto. Nesta oportunidade, você perceberá o quanto seu cliente sabe Português; qual é seu estilo de aprendizagem; que habilidades utiliza, ou seja, como relaciona as informações, se tem bom ouvido, se apresenta maior ou menor dificuldade em pronunciar as novas palavras, que línguas utiliza como referência. O tradicional teste de nivelamento oferecido pelas escolas de idiomas é substituído aqui por uma conversa. Sim, na primeira aula desenvolvemos uma atividade voltada para produção oral. Utilizamos nesta ocasião um material específico, facilmente adaptável ao nível do aluno, seja ele um iniciante absoluto ou mesmo um falante de Português já avançado. Nesta conversação orientada, pode-se obter muitas informações sobre o estudante, ao mesmo tempo em que o ensino e a aprendizagem se iniciam. É comum que, ao final da aula experimental, o estudante fique impressionado com o quanto aprendeu, sem ter sentido a hora passar. **Encantar o aluno sem cansá-lo é uma excelente plataforma de ação.**

Na hora da classe

Por outro lado, **a aula de Português para estrangeiros é sempre mais que uma aula. É uma reunião de trabalho.** Nela o professor e o aluno negociam aspectos práticos como horários, conteúdos, atividades e meios. Além disto, podem tratar de questões culturais relevantes, dos fatos que estejam ocorrendo no país ou conversar sobre porque tal data é um feriado e se vale ou não a pena enforcar o dia seguinte. Um expatriado que nunca tenha passado o verão no Brasil não imagina que a intenção de avançar o trabalho com o pessoal do escritório durante o feriado de Carnaval possa causar uma mini-revolta tupiniquim. Em circunstâncias como esta, é oportuno conversar com os estrangeiros sobre nossas tradições e, então, são os próprios profissionais brasileiros que agradecem que as aulas existam. De diferentes maneiras, o professor sela parcerias tácitas com o pessoal dos escritórios também, numa colaboração que extrapola a sala de aula.

Há ocasiões em que o relacionamento e as hierarquias nas equipes locais, na sociedade e até nos escalões do governo são temas abordados em aula. Da mesma forma, o significado de documentos e cláusulas, seguros, salários e contratações também são analisados. Muitas vezes, o estudante necessita compreender aspectos do nosso sistema de hábitos, como, por exemplo, como funcionam os pagamentos parcelados nas compras com cartão de crédito ou cheques predatados. O que é tão comum aqui pode ser absolutamente inexistente em outros países.

A aula pode ser também o momento para analisar ou produzir materiais escritos, como um pequeno relato em Português a ser apresentado na próxima reunião semanal da equipe. Ou um breve discurso de abertura para um encontro com empresários e diplomatas brasileiros no Rio, Brasília, São Paulo, ou mesmo em Estocolmo. Nestes casos, professor e aluno criam e redigem a fala, marcando as pausas e até ensaiando os gestos.

Dançando conforme a música

A meta do professor é honrar o aluno com uma boa aula. Mesmo que o estudante seja um profissional numa posição elevada na empresa, é importante não se intimidar. Independente do cargo, é sempre um ser humano que está diante de você, alguém com quem deve estabelecer *rapport*, ou empatia, iniciando e dando continuidade a um processo de ensino/aprendizagem que, com certeza, vai mobilizar ambas as partes. Esteja também atento às abordagens pessoais sobre a vida e o trabalho. Numa das suas primeiras aulas, um americano revelou a seguinte opinião:

— *There are two kinds of people.*[1]
— Dois?
— *The quick and the dead.*[2]

---
[1] Existem dois tipos de pessoas.
[2] Os rápidos e os mortos.

Mentalmente coloquei-me em posição de sentido, entendendo que aquele novo cliente desejava andar rápido e estava disposto a fazer o esforço necessário. A partir dali, concentrei a atenção no ritmo de ensino e os resultados comunicativos vieram em um espaço de tempo realmente curto.

Por outro lado, quando comecei a trabalhar com *finlandeses*, enviei um *e-mail* para uma professora sueca contando-lhe sobre a experiência. Ela respondeu dizendo: "Dos escandinavos, os finlandeses são os mais calados. Têm uma capacidade enorme de ficar sem dizer palavra nenhuma durante muito tempo". Não só engraçado, na verdade, seu comentário foi essencial para dimensionar a participação que eles estavam tendo no curso.

Para que estes olhos tão grandes?

Um bom recurso na condução da aula é a calibração. Considerando que a mente e o corpo funcionam integradamente, a fisiologia do aluno, ou seja, sua postura, respiração, gestos e expressão facial oferecem indícios do estado interior do estudante. Calibrando, ou seja, percebendo atentamente a outra pessoa, é possível ler os sinais não verbais emitidos e fazer distinções. Se, por exemplo, ao final de uma hora de aula com um novo estudante, o professor observar uma discreta indicação de cansaço, mesmo que ele tenha pedido aulas de 90 minutos, converse com o cliente. É provável que confirme que agora sabe, uma hora e meia seria demais.

De forma análoga, calibrando o aluno, pequenas indicações de falta de concentração podem indicar que o plano de trabalhar o modo subjuntivo, por exemplo, pode não ser o mais adequado para aquele dia. Ao invés disto, ouvir um texto ou ler um pequeno artigo no jornal lhe permitirá, de certa forma, "descansar em Português".

É comum o aluno iniciar a aula tenso. As preocupações corporativas representadas por trilhas neurológicas geram impulsos eletroquímicos com efeitos físicos diretos. Inúmeras vezes, meu objetivo consiste, primeiramente, em quebrar este estado, para que o estudante se permita entrar em outro, mais favorável à aprendizagem.

Ensinando Português no Mundo Corporativo

O professor pode observar, então, mudanças sutis no ritmo respiratório, na postura e até no sorriso do seu aluno.

Chegando para dar aula, o professor encontra seu estudante sentado à mesa de trabalho de onde toma decisões e sente-se mal em errar. Nesta posição, ele está *ancorado* como chefe e líder e terá dificuldade em evitar as interrupções dos telefonemas, das secretárias e de outros profissionais. Por isto, muitas vezes, mudamos de mesa ou usamos a sala de reuniões buscando um lugar mais adequado para desempenhar o papel de estudante, que inclui fazer tentativas comunicativas em um novo idioma com um ritmo mais lento. Na falta de alternativas, alguns estudantes simplesmente mudam para outra cadeira do outro lado da mesa. Em um outro ângulo, é mais fácil abrir-se para o papel de aprendiz.

Além destes aspectos, é necessário fazer distinções e a chave para isto consiste em perguntar ao cliente: o que funciona melhor para você em uma aula? Como aprende melhor? De que você gosta mais? As respostas revelam aspectos dos estilos de aprendizagem. Um estudante comentou que aprendia melhor conversando e fazendo anotações, mantendo a interação face a face. Outro preferia assistir a vídeos para desenvolver a compreensão auditiva, o que nos levou a utilizar a sala de reuniões com recursos multimídia. Alguns querem mais gramática ou vocabulário. Há os que valorizam a produção escrita e enviam mensagens, via *e-mail*, para que sejam corrigidas antes que eles as mandem para os devidos destinatários ou mesmo depois apenas para receberem *feedback*. E ainda há aqueles com quem o material didático em formato de CD-ROM é a melhor opção.

Para o estudante que precisa preparar-se para entrevistas com jornalistas, podem ser feitas simulações com perguntas e respostas gravadas, servindo para identificar pontos fortes e áreas de dificuldades. Recentemente, durante a avaliação final do curso de Português, um estudante americano, responsável pelos negócios de sua empresa no Brasil, afirmou que muita conversação em aula e leitura freqüente de jornais, à noite, foi uma combinação perfeita, tendo lhe trazido resultados melhores e mais rápidos do que os que obteve com seu aprendizado de francês na África.

O foco é a aula

Um pressuposto que orienta minha prática é exatamente o oposto da conhecida *regra de ouro*, segundo a qual devemos tratar os outros como nós mesmos desejamos ser tratados. **Em termos de inteligência interpessoal, é mais eficaz tratar as pessoas como elas esperam ser tratadas.** Já que somos todos diferentes e temos expectativas igualmente distintas, considere o valor de treinar a percepção e a flexibilidade. Então, revisitando a *regra de ouro*, aborde cada indivíduo de acordo com as inclinações e o temperamento observado. A propósito, como você se sente mais à vontade numa experiência de aprendizado?

A aquisição formal do Português

A prática da conversação tem a intenção de desafiar o estudante em dois níveis simultaneamente – o da forma e o do conteúdo. Enquanto conversamos, oriento a atividade incluindo diferentes temas que requeiram outros recursos lexicais. Reformulamos e consolidamos as estruturas da língua; focamos a pronúncia, ao mesmo tempo em que refletimos sobre o progresso alcançado. Assim, com relativa naturalidade, dá-se a aquisição formal do Português em aula, processo que continua fora dela, quando o aluno se relaciona em outros ambientes.

Com a prática observa-se o quanto os alunos gostam de estrutura e são capazes de criar estratégias facilitadoras da aprendizagem. Como exemplo está a pequena regra organizadora da conjugação verbal que estabelece: *"In the present, **I** gets **o**"* ou seja, *"no presente simples, o pronome pessoal **eu** leva a desinência **o**"* (eu fal**o**, eu vend**o**, eu divid**o**).

Para encontrar as palavras em Português mais facilmente, um estudante instruiu sua esposa a fazer buscas no vocabulário formal da Língua Inglesa a fim de acessar os termos de origem latina, adaptando, então, a pronúncia e entonação. Caso quisesse expressar *"I will come back"*, o marido-lhe sugeriu partir do Inglês *"I will return"* e, assim, chegar a *"eu vou retornar"*.

Para simplificar os usos do pretérito perfeito (em aula, conhecido como passado simples), um estudante *descobriu* que, em muitos casos, no lugar de *"ele viajou"*, por exemplo, poderia fazer uso de um artifício lingüístico e usar *"ele foi + infinitivo"*. Assim, *"ele foi viajar"*. Como também *"ele foi dirigir"* etc. O aluno ficou satisfeito com seu achado dizendo: *"É disto que eu preciso!"*

Rituais de aprendizagem

O **formato da aula não é segredo para o aluno**. Ele sabe, por exemplo, que começamos e terminamos na hora certa. O respeito ao tempo é o primeiro passo para lhe garantir conforto. É notável que a maioria dos alunos, apesar da carga de trabalho, honra a hora de sua aula de Português. Professor atrasado, nem pensar.

A estrutura de aula segue, em geral, uma seqüência básica que inclui:

> Jornal impresso ou virtual
> Checagem do vocabulário da aula anterior
> Comentários sobre o dever de casa realizado
> Plano de aula: atividades
> Indicação de novo dever de casa

Sempre começamos com duas folhas sobre a mesa. A primeira é **o plano de aula, a ferramenta mais eficaz que o professor pode se dar**. A boa aula é planejada, afinal, *se vale a pena fazer, vale a pena fazer bem feito*, como diz o lema de uma empresa escandinava. O planejamento e preparação garantem *input* adequado ao nível lingüístico e intelectual do aluno com foco no resultado, **conferindo consistência na forma e variedade no conteúdo**. Outro benefício é impedir que se caia na rede das pequenas coisas, deixando a aula correr como uma conversa de amigos. Todos, em geral, e os *suíços* em especial, apreciam o fato das suas aulas serem sempre planejadas. E fazem referência a isto.

A segunda folha é para o vocabulário novo. Além disso, temos as notícias à nossa disposição. Antes da primeira aula do dia, escolho o melhor jornal de acordo com manchetes, diagramação e até as fotos naquela data que servirão para atividades. Levo *O Globo*, considerado mais fácil de ler, o *Jornal do Brasil*, tido como mais intelectualizado para alguns estrangeiros, *A Gazeta Mercantil e Valor Econômico*, com foco em negócios, até *O Dia* ou *Extra*, publicações mais populares, dando oportunidade para que o estrangeiro exerça seu senso crítico diante do noticiário dirigido a diferentes camadas da população. Normalmente, marco as manchetes na primeira página e dentro dos cadernos. Revistas como *Veja, Exame* e *Você S.A.* são fontes de conteúdo atualizado e com bom apelo visual. Também seleciono fragmentos de notícias que servirão para que diferentes alunos pratiquem a leitura. Em aula, à medida que lemos as manchetes, alguns parágrafos ou um artigo inteiro, comentamos o conteúdo, assim como fazemos com as pessoas em casa ou no trabalho. Simultaneamente, esclarecemos os novos itens lexicais, buscamos sinônimos conhecidos, negociando significados.

Que palavras deste texto você quer incorporar ao seu vocabulário? Qual é a expressão mais importante aqui? O que mais gostaria de saber sobre isso? Estas perguntas dão ao aluno a oportunidade de decidir sobre o seu processo. E assim passamos pela política, economia, esportes, às vezes, cinema ou mesmo previsão do tempo. Muitas vezes, são eles que sugerem: *o que tem no jornal hoje?* Para os mais ocupados, a aula permite que se atualizem ou, mesmo, que descubram, entre outras coisas, os movimentos do governo no seu setor de trabalho. *O que está acontecendo agora? O que eu tenho que fazer?* A partir do conteúdo lido e comentado, compreendem melhor os eventos que moldam o contexto brasileiro, dia após dia, sendo capaz de antecipar algumas possíveis repercussões em suas vidas e negócios. A crise da energia ocorrida em 2001-2002 foi um bom exemplo disto.

Aprender Português em situação de imersão, especificamente, vivendo no Brasil, significa dispor de uma infinidade de materiais autênticos para leitura, além do que é oferecido nos livros didáticos. Em geral, não utilizamos atividades de pré-leitura. A busca da simplicidade aponta para o exemplo do falante nativo que abre o jornal, seleciona um artigo do seu interesse e o lê sem nenhum tipo de *aquecimento* ou preparação. É assim que o aluno estrangeiro lê os jornais brasileiros, ao lado de seu motorista a caminho do trabalho, ou diante de mais uma edição eletrônica, ao chegar ao escritório ou em casa à noite.

Um grande passo no aprendizado de uma língua é ser capaz de ler em voz alta compreendendo o conteúdo simultaneamente. Quando a forma sonora segue a gramatical revelando a mensagem, o aluno por si só entende que alcançou um novo patamar. Também trocamos os papéis: eu leio em voz alta para eles. Neste caso, a prática é de compreensão auditiva.

Quando o aluno entende o desenho das aulas, antecipa o que vai ocorrer e, então, passa a contribuir trazendo artigos, perguntando sobre novos temas e indicando meios de aprender exatamente o que quer. Por maiores que sejam as dificuldades, o professor não deve subestimar o estudante criando uma visão menor para ele, nem com o planejamento nem com o material apresentado.

Mesmo que sua ação esteja antecipada no papel, tenha flexibilidade para mudar sempre que as circunstâncias exigirem. A atividade planejada pode render ou não; pode ser considerada interessante pelo o aluno ou não. O que acontece fora da aula, desde reuniões a simulações de incêndio nos edifícios onde trabalham, de disputas de cargo a promoções, assim como os acontecimentos internacionais, desde uma Copa do Mundo à queda das torres de Nova Iorque, **tudo alcança e afeta o ambiente da aula.**

Flexibilidade é essencial diante de realidades impensadas, como o suíço que prefere não trabalhar a pronúncia carregada de certo fonema. O professor também pode encontrar o cliente que rejeita completamente qualquer atividade que requeira o uso de um gravador. É simples: a aula é dele e os resultados são para ele. Por isto, **sua pasta deve conter material extra ou *coringa*, um plano alternativo.** Artigos, propaganda, exercícios gramaticais adaptáveis a diferentes níveis, até um repertório de boas histórias e piadas rápidas são recursos preciosos.

Também como interlocutor e mediador interculturalista, esteja preparado. O aluno sempre chega com algo novo. *Tenho que preparar*

O foco é a aula

uma apresentação; preciso ler este documento; quero escrever uma carta e entender como isto funciona; como posso expressar apreciação aos funcionários? Estes são alguns dos pedidos de ajuda que surgem na aula. Muitas vezes, com um contrato nas mãos, vão lhe perguntar: *o que você acha disso?* Diante de um convite impresso, *que roupa devo usar nesta ocasião? Tenho que levar um presente ou o quê?* Neste momento, o professor é chamado a dar sua opinião, a oferecer sugestões para o encaminhamento de soluções. Ou ainda: *eu tenho uma hora marcada com um fornecedor que não fala inglês. Você pode participar da reunião comigo?* **As aulas são eventos vivos, orgânicos, que naturalmente concedem ao plano de aula novos contornos.**

Para que o aluno se abra para o aprendizado é importante deixar claro o porquê das atividades propostas. Durante ou ao final da aula, revemos o que realizamos naquele dia e os objetivos cumpridos com cada passo, confirmando o vocabulário consolidado, os tempos verbais ativados, as estruturas frasais utilizadas e as habilidades treinadas.

Provas não há. O desempenho do aluno é o principal *feedback* para o professor orientar o tipo e o ritmo das atividades. Até mesmo a observação da sua linguagem corporal pode indicar se ele está indo bem ou não. Os que gostam de avaliações formais recebem testes como dever de casa. Estudantes avançados têm buscado o Certificado de Proficiência em Língua Portuguesa para estrangeiros, CELPE-BRAS, exame oficial do Ministério da Educação e Cultura, como um desafio extra para seus estudos ou para regularizarem sua situação profissional nas empresas brasileiras. Por isto, vale a pena consultar: www.mec.gov.br/sesu/celpe.shtm.

O que não pode faltar

Além dos exercícios propostos no livro didático, escrever é um bom exercício principalmente quando a finalidade é autêntica. Em certa ocasião, tendo em vista que dois brasileiros estavam de partida para a Inglaterra, sugeri que o chefe americano, que havia morado em Londres, lhes enviasse uma nota com conselhos sobre a nova cidade e o ambiente de trabalho lá.

Entre outras situações, no Dia Internacional da Mulher e das Secretárias, por exemplo, são produzidas mensagens, que depois de revisadas em aula, são enviadas às respectivas funcionárias via *e-mail*.

Sim, é preciso mencionar que **o dever de casa é um *must***. Realizar uma tarefa sozinho é parte do papel do estudante, na maioria dos casos. **Na verdade, a tarefa de casa preenche o espaço temporal entre duas aulas, dando continuidade formal ao aprendizado, quando o professor e o aluno não estão trabalhando juntos.** *O que eu preciso fazer para a próxima aula?* Esta é a pergunta da maioria dos alunos. É fácil: consulte seu plano de aula e, então, informe – às vezes, até negocie – exatamente o que está pedindo: o dever de casa.

Nossa linguagem dos sinais

A fim de não interromper o aluno enquanto lê ou fala, monitoro sua produção oral utilizando uma espécie de *linguagem de sinais*, que funciona com todos. Ouço com atenção e indico com gestos arbitrados entre nós as reformulações necessárias.

Para mostrar que ele deve usar o presente simples, por exemplo, aponto para baixo, como aqui e agora. Para o passado, aponto para trás. Para o futuro, aponto para frente. O gerúndio se traduz por um gesto repetido com a mão reta, como algo acontecendo naquele momento. Para a entonação, faço um movimento ondulado, aludindo à variação sonora. Para interrogação, um movimento ascendente com a mão, que é como a pergunta deve soar na sua última porção. A sílaba tônica é indicada por um movimento manual em dois ou três tempos, conforme o número de sílabas, em que um é mais baixo que os outros. Para os antônimos, basta cruzar os indicadores formando um "x". Finalmente, a seqüência das palavras é facilmente demonstrada indicando uma mudança de ordem com as mãos. Ao ver estes procedimentos consistente e repetidamente, o aluno compreende a intenção comunicativa de cada um deles encontrando, por si só, a melhor alternativa para sua fala em Português.

Quando um estudante começa a falar Português com o ritmo de sua primeira língua, como o Inglês da Escócia, é possível chamar sua atenção, por exemplo, para a paisagem em comum a muitos escritórios: o contorno da Enseada de Botafogo e da Baía de Guanabara, as curvas das pistas do Aterro do Flamengo e, finalmente, as curvas dos morros entre os dois bondinhos do Pão de Açúcar, assim como os contornos das ilhas em frente. No Rio, tudo é um sobe-e-desce em movimentos sinuosos. Na linguagem também ocorrem movimentos ascendentes e descendentes. Olhando para fora da janela, a constatação é óbvia. A partir daí, sempre que necessário, enquanto o aluno fala, desenho no ar uma linha imaginária que sobe e desce e, com isto, ele recupera nossa melodia. Às vezes, brincam: *ah, o Rio*. Repetem eles mesmos o gesto sinuoso e reformulam as falas.

Juntamente com o sotaque estrangeiro, o expatriado naturalmente adquire nuances do falar carioca. Para uns isto é um detalhe sem importância. Para outros, motivo de orgulho ou ainda de brincadeira. Porém, recentemente um aluno avançado demonstrou preocupação com seu novo jeito carioca de falar, porque, segundo seus parceiros de negócios em São Paulo, isto o faz passar por malandro. Como abordar uma questão como esta? Falamos sobre como os estilos e as energias das duas capitais diferem em muitos aspectos e concordamos que são as atitudes, e não o sotaque, que concedem credibilidade.

Voltando aos recursos gestuais, estes fazem o papel de âncoras, disparando nos alunos comportamentos lingüísticos previamente indicados. Para se certificarem de que estão usando o pretérito perfeito corretamente, ao dizer *telefonei*, por exemplo, alguns exageram na desinência "ei", levantando a mão ou a cabeça levemente, como para confirmar a terminação correta.

Um americano, cujas perguntas soavam como afirmações, descobriu como garantir que as terminaria com tom ascendente. Em cada interrogação, enunciava a última palavra da frase inclinando a cabeça para a esquerda e subindo o queixo para a direita.

Como o aprendizado é sistêmico e envolve a mente e o corpo, o fato de agirmos sobre a fisiologia, em níveis mais ou menos sutis, auxilia no alinhamento das energias mental, física e emocional. Com esta pequena estratégia, a questão se resolvia.

O capital

> Raisio Yhtymän hallituksesta erotettu Antti Haavisto pitää välttämättömänä, että yhtiö järjestelee ratkaisevalla tavalla uudelleen toimialojaan. Niillä kaikilla on Haaviston mielestä menestymisen mahdollisuuksia, mutta Raision voimavarat eivät yksin riitä.
> — Minulla ei ollut hallituksessa eikä ole nytkään valmista ohjelmaa. Vaihtoehtoja on useita. Jotain voidaan myydä kokonaan tai osittain.

O parágrafo acima é um fragmento do jornal *Turun Sanomat*, um dos mais lidos na Finlândia, em uma de suas edições virtuais. Nele não há um termo sequer que nos seja familiar. Não há meios ou pistas para se conhecer ou suspeitar do que trata seu conteúdo. Exatamente por isto, podemos nos colocar no lugar de um finlandês e imaginar como ele se sente com *O Globo* ou o *Jornal do Brasil* nas mãos. Podemos, também, avaliar o desafio que é aprender uma língua totalmente diferente. E ainda o esforço de confiar em um tutor, construindo novas referências, renovando diariamente a paciência e a motivação para estudar. É possível também estimar quanto nossa visão de mundo crescerá e quantas surpresas esta língua nos trará. Mas como se realiza este processo?

"Tudo deve ser apresentado da maneira mais simples possível, porém, não mais simples que isso." A afirmação de Albert Einstein é uma grande inspiração. O mais simples possível é orientar o ensino, desde a primeira lição, para a conversação. Conversar é o que fazem os falantes nativos nas interações humanas. Nas aulas, que são conversas genuínas, vida, cultura, trabalho, ciência e os últimos acontecimentos surgem de acordo com as circunstâncias. E a Língua Portuguesa vai gradativamente permeando este cardápio de interesses e assuntos sem fim.

Expressões muito simples, saídas da boca de um estrangeiro, causam grande impacto. Os estudantes aprendem logo e usam com naturalidade: *Faz sentido. Fala sério. Fica tranqüilo.* A começar pelo iniciante absoluto, informalmente chamado de aluno "zero km", pode-se estabelecer e expandir, como base de comunicação, um vocabulário de origem latina. Verbos como *preparar, organizar* e *iniciar* deixam clara a cadeia de termos em comum entre o Português e outras línguas de referência, facilmente reconhecíveis, como o Inglês, o Francês, o Italiano e o Espanhol. Se perguntam como dizer *to go on,* sugiro "continuar". *Enough?* "Suficiente". *Replace?* "Substituir". Falo devagar, escrevendo a palavra quando o aluno não consegue estabelecer a associação ou captar a forma correspondente ao som.

Os alunos passam a conhecer a máxima: **o vocabulário é o capital da língua.** É com as palavras que afirmamos, perguntamos e pedimos, concordamos ou negamos, ganhamos ou perdemos, contamos histórias e nos divertimos enquanto nos relacionamos com os demais. Por isto, além da folha com o plano de aula, como mencionado anteriormente, utilizamos uma segunda folha, para o vocabulário, onde depositamos este capital. Enquanto falamos e aprendemos, anoto os novos itens lexicais. Ao final da aula, esta folha, que tem a data no alto e que permite a visualização rápida de cada item escrito, é como um registro ou retrato da prática do dia.

A aula não é um evento isolado. Não começamos do zero. Iniciamos lendo o vocabulário da aula anterior. Com isto ativamos a memória, lembrando os assuntos tratados e as situações vividas. A folha de vocabulário não é um rol de palavras soltas e, sim, um conjunto lexical que faz sentido para o professor e o aluno, na parceria do aprender.

As primeiras palavras em certa folha de vocabulário de um estudante iniciante eram *vôos normais.*

— *What were we talking about?*[1]

— Helicópteros, lembra?

— Certo, eu lembro.

---

[1] Sobre o que nós estávamos falando?

A intenção é a de que a folha de vocabulário funcione como um gancho com a aula anterior e, ao mesmo tempo, como ponto de partida para a lição do dia. Durante as nossas interações, ativamos a bagagem lexical acumulada, utilizando o vocabulário conhecido para que o estudante retome as *suas* palavras em novos contextos. Muitas vezes, ao usar certos termos, pergunto-lhe *"lembra?"* ou faço um sinal. Então, ele compreende a intenção de assimilação que estamos cumprindo. Caso não se recorde, podemos até mesmo voltar às folhas anteriores para encontrar *aquela* palavra.

Acredito que o aprendizado se dê num movimento de vai-e-volta, concursivo, não linear. Como o pulsar sugerido na introdução deste volume. Avançamos e, gentilmente, sempre que necessário, voltamos um ou mais passos, a fim de consolidar o aprendizado através da nossa interação.

Estas folhas, geralmente guardadas por cada aluno em uma pasta tipo fichário, são ferramentas de estudo ou um recurso utilizado para refrescar o vocabulário importante antes de entrar em reuniões de trabalho, por exemplo. Quando partem do Brasil, alguns levam esta mesma pasta como lembrança da sua trajetória com a Língua Portuguesa.

Depois de alguns anos fora do Brasil, um estrangeiro descobriu que não conseguiria nem obter as informações necessárias para suas férias em Lisboa, nem fazer suas reservas por telefone se insistisse em falar Inglês. Então, recorreu à sua antiga pasta de Português. Releu várias folhas; recuperou o vocabulário; e voltou às ligações para Portugal, desta vez, com sucesso.

Benditas sejam as pequenas palavras

Quantas vezes, ao sermos abordados em uma língua estrangeira, mesmo tendo entendido, não conseguimos responder? O que precisamos são palavras-chave, que indiquem que compreendemos e sinalizem que o interlocutor pode prosseguir. É exatamente este tipo de vocabulário, simples e eficaz, que o aluno de Português como segunda língua pode aprender desde o início, começando por alguns termos afirmativos.

Tudo bem.	Correto.	Exato.
Claro.	Isso.	OK.
Certo.	Perfeito.	Fechado.

Há outros exemplos também facilitadores da conversação:

Ótimo.	Talvez.	Agora.	Calma.
É possível.	Depende.	Já.	Rápido.
Entendo.	Pode ser.	Depois.	Devagar.
Pronto.	É engano.	Como?	Interessante!

Sem esquecer os advérbios, de fácil assimilação e grande efeito comunicativo.

Exatamente.	Perfeitamente.	Totalmente.
Certamente.	Completamente.	Finalmente.

Em sua primeira semana no Brasil, encontrei a nova aluna americana preocupada, tentando descobrir o que seus parentes deveriam dizer, em Português, quando ligassem para seu hotel, no Rio, para falar com ela. Ela buscava uma versão para *May I speak to Mrs. Smith, please?* Eu sugeri *Mary Smith, por favor*. Qualquer um poderia dar conta disto. A simplicidade foi uma surpresa para ela.

Em várias circunstâncias, quando o aluno ainda não tem comando da língua, ou tratamos de assunto muito técnico, é comum conversarmos em duas línguas. Ou até três.

Ensinando Português no Mundo Corporativo

— *Did you read the paper this morning?*[1]
— Não li, por quê? Alguma coisa interessante?
— Interessante, não. *There is an article I want you to look at.*[2]
— Tudo bem. Onde está?
— Aqui. *Mira.*[3]

Em escritórios multiculturais, a língua franca entre os expatriados, em geral, é o Inglês ou o Espanhol. No entanto, certas expressões parecem ter mais impacto em Português. Por isto, recheiam suas conversas com comentários como: *"É mesmo?"* ou *"Puxa"*. *"Tudo bem"* é obviamente um clássico. *"This is papo furado"* você também vai ouvir. *"Claro"* é outra palavra imbatível. É comum ouvi-los falando suas línguas maternas entremeadas de termos como *"piscina"*, *"ocupado"* e *"meu Deus"*. Um escocês revelou que sua palavra favorita em Português é *"guarda-chuva"*. Outros são seduzidos por qualquer vocábulo terminado em '*s*' que, no Rio de Janeiro, se pronuncia chiado, como em *mais* ou mesmo *Petrobras*. E se ouvirem termos emprestados, como *"piquenique"* ou *"pingue-pongue"*, morrem de rir.

Continue sua pesquisa sobre palavras e verá que entre as preferidas está *"maravilhoso"* (dita bem devagar). Além de expressões como *"Beleza"*, *"Fica com Deus"* e *"Que abacaxi"*. Outros pegam *"Oi, querida"* e adotam de vez. Ou então, *"Oi, amigo"*. Um estudante ouviu na rua *"nunca mais na vida"* e passou a usar. Muitos acreditam que ser capaz de dizer *"liquidificador"*, corretamente corresponde a ser promovido para o nível intermediário. Finalmente, a maioria adora os superlativos absolutos como *"lindíssimo"* ou *"rapidíssimo"*, por exemplo. Ou ainda os diminutivos como *"jeitinho"*, *"probleminha"* e *"pertinho"*. E assim fica provado que as palavras encantam.

Em praticamente todos os escritórios, há uma presença familiar: o dicionário, ao qual os estrangeiros recorrem confortavelmente no dia-a-dia. Em geral, cada aluno tem mais de um volume bem manuseado por perto, contemplando duas ou mais línguas. Em meu

---

[1] Você leu o jornal esta manhã?
[2] Tem um artigo que eu quero que você olhe.
[3] Olhe.

O foco é a aula

primeiro trabalho, no Centro de Línguas da Universidade do Estado do Rio de Janeiro, o diretor dizia aos novos professores: *"Quem muito explica complica."* Assim, se o significado de um termo ainda não está claro após a explicação, sugiro: *"Vamos checar no seu dicionário?"* Com isto, quebramos o estado de impasse e o próprio aluno encontra sua resposta.

Quando as línguas são irmãs, mas não exatamente amigas

No caso de estudantes hispanofalantes, o processo de aprendizagem é diferente. Sendo Português e Espanhol línguas muito próximas, o estudo tem o propósito de iluminar as diferenças. Assim, comentamos e criamos estratégias para dar conta dos detalhes lingüísticos relevantes, como os falsos cognatos. Damos especial atenção à pronúncia, utilizando uma apostila de fonética. Praticamos leitura em voz alta e produção escrita. A atenção da aula recai sobre as formas da língua e seu funcionamento.

A técnica do automonitoramento é amplamente incentivada. Através dela, os hispanofalantes aprendem a antecipar mentalmente e avaliar sua produção oral. O estudante, sendo o responsável direto pelo seu desempenho, aprende continuamente monitorando também o discurso dos interlocutores brasileiros, percebendo o que dizem e como dizem.

Existe demanda para professores preparados para esta modalidade de ensino. No Rio de Janeiro, entre os expatriados distribuídos pelos diferentes setores de negócios, há hispanofalantes vindos de praticamente todos os países da América Latina, do México ao Uruguai. Também é o caso de europeus e principalmente de americanos que, tendo morado em países de fala espanhola, acabam trazendo para o Português tanto o conhecimento facilitador como as interferências do Espanhol.

Fechando com aplauso

Em certa ocasião, trabalhando com um estudante britânico, ao final de uma aula animada, ele quis ver o jornal que eu tinha sobre a mesa. Na primeira página, havia a foto do ex-presidente Fernando Henrique Cardoso e um australiano tocando os narizes, num típico cumprimento *maori*. Com seu vocabulário de iniciante, o inglês disse: *Que coisa!*

Abaixo da foto, vendo a notícia de um assalto, o estudante quis saber mais. Expliquei a situação e sua expressão facial imediatamente mudou, revelando preocupação. Percebi que aquele não era o estado desejado para que ele saísse. **A aula, como toda outra interação, deve terminar num ponto alto. A impressão final é a que define a experiência do ponto de vista do cliente, qualquer que seja a situação.** Trata-se de concluir com chave de ouro emocional mesmo. Fui clara: *"Não podemos acabar assim. Vamos voltar para o livro"*.

Retomamos um diálogo do livro com a típica situação de restaurante, com cardápio e pedidos ao garçom. Li a frase:

— Sua mesa está livre agora.

— Muito obrigado, respondeu o aluno.

Então, usei os nomes das pessoas no escritório, alterando o contexto.

— Você está livre agora, Melissa?, falei. E sugeri: Tony?

— Você está livre, agora Tony?, emendou o aluno.

Falávamos como se Melissa, Tony e outros estivessem ali. O tom de voz dele mudou. Continuamos com algumas variações por mais alguns instantes. Quando ele voltou a sorrir, veio a deixa:

— *Livres!*

Com isto, acabamos a aula contentes.

Muitas vezes, termino dizendo ao meu parceiro de ensino/aprendizagem: *"Gostei da nossa aula, obrigada"*. E nos cumprimentamos apertando as mãos. Ou, mesmo, batemos as palmas das nossas mãos uma contra a outra, com o sentimento de termos feito um bom trabalho, reconhecendo, reciprocamente, o processo e os resultados da parceria.

Capítulo 5

As lentes se abrem sobre o curso

As lentes se abrem sobre o curso

O seu melhor desempenho

Após considerar a preparação, algumas estratégias e interações na aula de Português para estrangeiros, voltamos nosso olhar para o cenário corporativo, justamente o que acolheu o professor e o reuniu ao cliente/aluno, que recebe um curso sob medida. Neste ambiente, como um gerador e gerenciador de oportunidades, cabe ao professor entre outras tarefas:

- ter uma visão do seu trabalho, orientada por uma missão e uma atitude docente revigorada;
- buscar conhecimentos e testar hipóteses;
- apresentar seus serviços, elaborando e executando propostas de ensino, incluindo projeção de custos; e
- produzir relatórios de acompanhamento, assim como faturas.

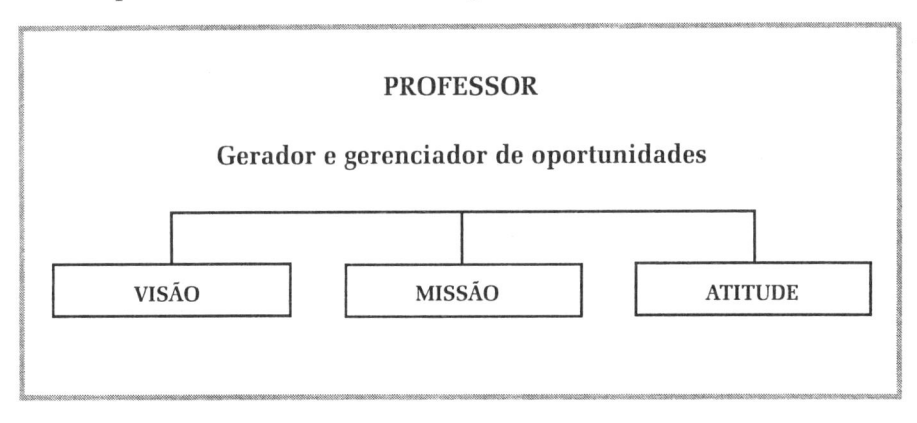

PROFESSOR

Gerador e gerenciador de oportunidades

| VISÃO | MISSÃO | ATITUDE |

Além da qualificação específica, neste ambiente, é importante desenvolver e articular um conjunto de credenciais que lhe servirão de diferentes maneiras. Entre elas estão:

1. *Habilidades técnicas*, começando pela graduação em Letras, abrangem o conhecimento sobre as especificidades das línguas, o processo de aquisição da linguagem e o planejamento de cursos. A partir daí, como se faz uma proposta de trabalho? Como se negocia? Converse com amigos; leia; expanda suas capacidades estratégicas, bus-

cando o que lhe falta, o que pode aumentar sua visão. Diferentes profissionais, por força do trabalho, pesquisam também a área financeira dos negócios. Por que não o professor? Desenvolva uma postura acadêmica, cultivando sua bagagem teórica, aliada à prática, e o mundo corresponderá com respeito.

2. *Mini-habilidades técnicas* facilitam o negócio com o aluno e sua empresa no dia-a-dia. Com base na experiência, é importante:

- saber manter os prazos, cumprindo os compromissos dentro do tempo previsto ou mesmo antes, surpreendendo seu cliente;
- saber redigir cartas comerciais e *e-mails* em Português e Inglês ou em outra língua estrangeira;
- fazer boas apresentações – as aulas são verdadeiras apresentações;
- desenvolver um senso de logística, planejando ações, considerando as prioridades, a ordem em que realiza cada atividade, as ferramentas e os recursos adequados, as pessoas que podem colaborar e especialmente seus deslocamentos.

3. *Habilidades comportamentais*, do âmbito individual, compõem o perfil de cada profissional. São atitudes sutis que fazem a diferença, como:

- ser pontual sempre – imagine o impacto positivo deste comportamento em uma sociedade com milhões de pessoas chegando consistentemente atrasadas;
- saber ouvir e antecipar expectativas;
- ter bom humor, firmeza e também discrição;
- ter flexibilidade, alternando entre assumir liderança e ser liderado;
- cultivar a elegância, que aqui significa chegar ao objetivo proposto da forma mais simples e clara possível;
- vestir-se em sintonia com o ambiente da empresa; e
- manter um padrão de qualidade nas suas ações em geral.

As lentes se abrem sobre o curso

Estas habilidades associadas e bem exercitadas potencializam seu desempenho. Com este conjunto de conhecimentos traduzido em ações, você servirá a si mesmo e ao mercado que compra seu serviço.

O traje do dia

Considere o setor em que seu cliente está e estabeleça *rapport* com ele. Ou seja, leia o ambiente e participe dele espelhando-o. Entre uma empresa de serviços em telecomunicações e outra de petróleo, pode haver um mar de diferenças.

Como para muitos executivos, vestir-se formalmente inspira respeito, seriedade e confiança, com estes a aula pede um *blazer*.

> Era verão e o suíço foi designado para passar um período no escritório de sua empresa em Nova Iorque. No primeiro dia de trabalho, vestiu camisa social de manga curta, exatamente como em Zurique.
>
> O que ele aprendeu com isto? Que o código de vestimenta do mundo financeiro em Manhattan é rígido. Tanto que, pela pressão dos colegas, saiu para almoçar e voltou com uma camisa nova de mangas compridas.

Neste mesmo escritório, às sextas-feiras, você entrará em sintonia e vestirá algo mais informal. É o chamado *casual Friday*.

Além da vestimenta, observe a ordem do seu material de trabalho, sua postura. Inclua os acessórios nesta checagem. Um bom relógio e caneta. Sua agenda de trabalho organizada e apresentável. Também sua pasta, onde vai depositado seu capital intelectual em forma de planos de aula, por exemplo. Crie um cartão profissional do qual você tenha orgulho. Nada de informações antigas que precisem de correções com caneta. Inclua nele seu endereço eletrônico. Utilize-o para estar em contato *on line* com seus clientes, enviando propostas de trabalho, marcando aulas e trocando informações.

Tendo enviado uma mensagem eletrônica pelo aniversário de um ex-aluno que havia retornado para o seu país meses antes, ele respondeu: *"Como você sabia do meu aniversário?" "Eu perguntei em aula e anotei, lembra?"*, escrevi de volta. O contato com um cliente pode continuar mesmo quando o curso já terminou. Para isto, armazene tudo o que é importante na agenda. Mais importante é manter seu currículo e propostas de trabalho em arquivos eletrônicos atualizados e prontos para serem enviados em Português e na sua segunda língua, via *e-mail*, ou entregues pessoalmente a novos clientes sempre que necessário.

Como um laboratório de informações, emitindo sinais a todo instante, lembre-se de que sua ordem externa (forma) reflete sobre sua ordem interna (conteúdo). Assim como calibramos o cliente, ele faz o mesmo conosco em todos os momentos. Isto é parte da comunicação. **Você pode ser tão profissional quanto qualquer pessoa. A imagem que a sociedade tem do professor é igual à atitude que o professor tem na sociedade.**

A entressafra

Quando há reestruturação nas empresas, muitos profissionais partem para novos postos em outros continentes. Além disto, os que ficam podem se tornar tão ocupados que, já tendo algum comando da língua, param de ter aulas. Foi o que ocorreu no início de 2002. Sofrendo diretamente a conseqüência financeira do fato, entendi que o que acontecia sinalizava que eu estava inserida do mercado e acompanhava seu pulsar. Esta percepção me deu confiança para lidar com este tipo de situação que chamo de "entressafra".

Passando entre os prédios da Petrobras e do BNDES, no Centro do Rio de Janeiro, encontrei uma amiga, professora de Língua Inglesa, a quem mencionei as mudanças a que estava assistindo nas empresas. Num instante ela rebateu minhas preocupações: *"É bom que mude. É assim que vem coisa nova"*. Com tanta certeza, suas palavras funcionaram como o tapa da realidade: não se deve resistir às mudanças. Em Rose Marie Muraro (1996), encontramos ainda mais apoio.

> "Viver todos vivem, mas o problema é saber não recusar os desafios que a cada minuto a vida propõe. A esmagadora maioria dos seres humanos rejeita esses desafios e, por isso, continua presa a padrões previsíveis de comportamento, quando viver plenamente significa ir quebrando esses padrões e, a cada momento, encontrar-se no desconhecido."

As lentes se abrem sobre o curso

Para facilitar o enfrentamento dos desafios, um princípio importante é cuidar da sua carteira ou do portfólio de clientes que, preferencialmente, deve incluir indústrias diferentes. Energia, telecomunicações e aviação são algumas delas. Se uma diminui seus investimentos no Brasil ou se reestrutura, você ainda terá clientes em outras áreas.

Estar no mercado, como empreendedor, dá trabalho. Exige organização pessoal, capacidade de lidar com o novo, assim como estudo e preparo. Requer também conhecimento aplicado. Como não se deve colocar todos os ovos na mesma cesta, o empreendedor entende que precisa criar e exercitar talentos. Dar treinamentos, fazer palestras e participar de projetos de criação de *websites* são algumas possibilidades.

> A sugestão de Tom Peters, especialista americano em negócios, é deixar de considerar sua carreira como uma escada por onde você sobe e desce. Melhor vê-la como um labirinto, ou um mapa, que o leva em diferentes direções, muitas vezes, expandindo-se para os lados.

Segundo a Revista *Fast Company*, "durante a missão Apolo 13, em 1970, o diretor de vôo Eugene Kanz foi bombardeado com mensagens nervosas da equipe de vôo. O sistema elétrico não funcionava. O nível de oxigênio estava caindo. A comunicação estava falhando. O que ele respondeu à equipe? "Muito obrigado. Eu escutei o que está indo mal. Agora me digam o que está indo bem." A resposta de Kanz ajudou às pessoas a mudar o foco para agirem produtivamente, ao invés de alimentar o pânico. Uma vez que a equipe identificou quais sistemas ainda funcionavam, eles conseguiram um plano que acabou salvando a espaçonave. É uma postura. É uma atitude. Se você não está calmo e confiante, ninguém mais estará" (edição de abril de 2001, pág. 96).

Empregabilidade

A sua empregabilidade em termos de projetos dependerá da capacidade de semear constantemente. No segundo semestre de 2001, conheci uma secretária temporária em uma empresa onde ensino. Conversamos algumas vezes e, então, dei a ela o meu cartão. No início de 2002, quando a maioria dos meus alunos estava em férias ou saindo definitivamente do Brasil, restando pouco trabalho, foi justamente aquela secretária quem me telefonou de seu novo emprego. Por seu intermédio, comecei a dar aulas em uma empresa de telecomunicações escandinava. Profissionalmente, foi um desafio ensinar para um grupo multicultural, onde a maioria falava línguas como Russo, Sueco, Finlandês e Africâner, além de Inglês. E pensar que eu cheguei lá por causa de um cartãozinho.

A propósito, **o melhor cartão que um profissional pode ter é seu próprio cliente.** O aluno é verdadeiramente o seu cartão de vistas. Em diferentes eventos, quando os estudantes fazem discursos em Português, usando toques de bom humor, mesclando formalidade com informalidade, ganhando a atenção do público, ao final, as pessoas, incluindo autoridades, querem saber: *"Quem ensina a ele?"* Então, professor e aluno são cumprimentados pelo sucesso da parceria. **Prepare-se: o bom trabalho dá filhotes.**

Portanto, com base na experiência, passo adiante: plante mesmo sem saber exatamente quando vai colher. Prepare-se para as oportunidades renovando suas habilidades, canalizando sua atenção para os serviços que pode oferecer e cultivando um bom relacionamento nas empresas.

Especialmente para quem trabalha por conta própria e passa pelas *entressafras* mencionadas, use o comportamento do bom senso e poupe dinheiro. Invista em tranqüilidade e também visando aperfeiçoamento e lazer, boas fontes de renovação e criatividade.

Crie suas regras

Quando se trata de ensinar Português para estrangeiros, o que podemos considerar como bons princípios?

1. Oferecer seu serviço de forma diferenciada faz com que o curso seja conduzido 'sob medida', considerando as necessidades de cada cliente individualmente. Neste sentido, por exemplo, pode-se ensinar fonética, deixando deliberadamente as distinções entre o *r* simples e o vibrante porque o próprio aluno, acreditando que não vai superar esta dificuldade, não quer tratar disto. Ou

As lentes se abrem sobre o curso

ainda, caso seu novo estudante informe que está iniciando negócios em Brasília, você deve sugerir a ele seus serviços de consultoria imediatamente, uma vez que há uma série de informações culturais úteis para quem mantém contatos com autoridades governamentais. Da mesma forma, o expatriado que tenha uma apresentação importante a fazer para jornalistas e empresários brasileiros pode ser convencido do benefício de, pelo menos, iniciar e concluir sua fala em Português. A resposta positiva do público é garantida.

2. Para que o relacionamento profissional com os clientes individuais e empresas vá além do primeiro projeto realizado, ensine ouvindo o cliente com atenção, percebendo suas expectativas e oferecendo-lhe os meios para que chegue ao seu objetivo com conforto e confiança. Reporte-se regularmente a alguém na empresa, seja no departamento de treinamento ou de recursos humanos, sobre seu trabalho e seu método. Torne os resultados do seu aluno visíveis para o pessoal do escritório. Por outro lado, atenda e colabore com as companhias no que for possível. Houve uma ocasião em que passei algumas horas com uma equipe traduzindo um lote de documentos, o que para eles era urgente. Tenha em mente o valor de poder associar seu nome à trajetória que as empresas realizam no Brasil.

3. Quando o expatriado recém-chegado ao Brasil comparece a um evento preparado para falar em nome da sua empresa, isto é reflexo da qualidade do ensino prestado. Também quando, ainda com poucos meses de Brasil, é capaz de participar de uma reunião com um ministro brasileiro ou de ajudar outros estrangeiros em locais públicos onde não se fala inglês. Em casos como estes, o aprendizado lhe garante o comando das situações. Sob este enfoque, a qualidade está em entregar um produto, a Língua Portuguesa, que é um instrumento de comunicação vivo e eficaz, dando conta da imprevisibilidade das interações humanas.

4. Finalmente, em todos os seus aspectos, **o trabalho deve ser conduzido com elegância, ou seja, atingindo os objetivos propos-**

tos com o menor número de passos possível. Prepare-se para cada aula, chegue pontualmente e mantenha-se estável. Há um grande valor em lidar com alguém que gerencia suas preocupações em particular, oferecendo ao cliente um padrão de relacionamento constante e agradável.

O poder de decidir

Você pode demitir seus clientes. Esta pequena afirmação do *The Wall Street Journal*, publicada em um editorial de março de 1992, é o aval para que o empreendedor individual faça sua opção. Prestadores de serviço e clientes se escolhem mutuamente. Portanto, associe seu nome a clientes que saibam valorizá-lo. Caso algum deles não corresponda ao que você, como profissional, espera, considere a possibilidade de encerrar este projeto. Oriente sua carteira de clientes para os que são éticos, os que fazem bom uso do que aprendem e os que não tornam sua agenda impraticável. Além disto, reconheça o momento de liberar o aluno, ou seja, quando este, tendo chegado ao seu objetivo ou preenchido sua capacidade de aprendizado, já não necessita dos seus serviços.

Há critérios que ajudam a definir um comportamento profissional para o trabalho que se realiza. Inicialmente, verifique quem o recomendou ao novo aluno antes de ir à sua empresa. Caso ele não tenha escritório no Rio, cafés e restaurantes são alternativas. Se for ao hotel onde seu novo cliente está, certifique-se sobre a possibilidade de usar o próprio *lobby*, salas de reuniões ou uma cafeteria antes mesmo de chegar à primeira aula, telefonando e perguntando ou visitando o local previamente. O professor pode ainda alugar uma sala em um escritório virtual por hora.

Com base na capacidade de concentração humana, em geral, as aulas duram no máximo duas horas. Como professor e aluno formam um time, quando o cliente tem um imprevisto e precisa cancelar, use a flexibilidade e proponha um outro horário. Neste sentido, o professor serve ao seu cliente criando possibilidades para que o processo de ensino aprendizagem tenha continuidade. No caso de aulas dadas após as 18 horas ou aos sábados, assim como em bairros mais distantes, como é

As lentes se abrem sobre o curso

o caso de São Conrado ou Barra da Tijuca, no Rio de Janeiro, um percentual extra pode ser cobrado sobre o custo da hora aula, em torno de 20 por cento ou o que seu critério indicar.

Com alunos individuais ou grupos, proponha e exercite a liderança compartilhada. Deste modo, todos estão no comando; todos opinam sobre o curso da aula. Ou seja, tudo é negociável: *"Vamos usar esta sala ou a outra?" "Esta mesa ou aquela?" "Acho que você vai gostar de saber sobre esta pesquisa."* Ou, então, eles conduzem: *"Vamos ler isto?" "Eu anotei algumas coisas que não entendo e preciso de explicação." "Estou cansado, podemos ter uma aula mais leve hoje?"* Quando um aluno anunciar que terá quatro semanas antes da sua próxima viagem longa, dê a opção: *"O que você quer fazer até lá que funciona melhor para você?"* A resposta pode ser simples: *"Quero usar o livro e os jornais"*.

Chegar ao final do livro didático pode sinalizar o fim de curso. Proponha ao aluno, mais uma vez, que decida sobre o futuro, apresentando opções como encerrar as aulas, adotar outro material, trabalhar a conversação, fazer uma revisão ou ainda seguir um outro desenho de aula. Os alunos são sempre originais; sabem exatamente o que querem. Por isto, os caminhos escolhidos nunca são os mesmos. Recentemente, um estudante criou uma folha de trabalho que reúne expansão de verbos com automatização da conjugação e consolidação de novo vocabulário. Após algumas modificações, esta folha passou a ser a base de cada uma de nossas aulas. De tão eficaz, com sua permissão, passei a usá-la com outros estudantes.

O planejamento metodológico depende do professor. Toda prática se enriquece com insumos de textos acadêmicos, seminários e congressos, e com a troca de idéias com colegas via *e-mail*. Assim, responde-se melhor aos desafios do ensino dentro dos ambientes corporativos, onde tudo é para já.

Além disto, é preciso estar à altura dos executivos. Com informação e reflexão tem-se a base para emitir opiniões. Para tal, invista na leitura de revistas como *Exame*, *Veja* e *IstoÉ*, além dos jornais. Lembro-me da conversa com um estudante da área de petróleo ao final do governo Fernando Henrique:

— Reichstul saiu da presidência da Petrobras.

— Já?

— E tem outro em seu lugar.

— Quem?

— Francisco Gros. Está aqui no jornal.

— Quero ver. Posso ficar com este jornal?

Agir produtivamente inclui antever questões importantes para o aluno, sabendo ouvir. Porém, ouvir o quê? Desde suas áreas de dificuldade como pronúncia, estrutura frasal e uso do vocabulário até o *feedback* que ele lhe oferece. Um estudante espanhol mencionou que, para ele, conversar é o mais difícil. Para outro, ler indica fluência na língua. O que aprendemos com isto? Que o primeiro provavelmente espera ter um bom desempenho em compreensão auditiva e produção oral, enquanto o outro quer superar seus limites, conquistando a capacidade de leitura. Portanto, **o poder do professor está em ser flexível e em decidir que o ensino começa exatamente onde estão as necessidades e os interesses apontados pelo aluno.**

Tratando de cifras

Como dizia uma estudante suíça, **aprender uma língua vale muito.** No entanto, cobrar não é uma habilidade bem treinada na nossa cultura. Não nos preparamos adequadamente para esta face das relações do trabalho. Não me recordo de ter ouvido nada a respeito na faculdade, provavelmente porque a vocação do professor, em geral, é associada somente ao espírito de contribuir para o desenvolvimento das pessoas e das sociedades. No entanto, há um grande aprendizado a ser conquistado sobre como nos situar no mercado e como avaliar o impacto do nosso trabalho nele; sobre como alcançar a remuneração justa mantendo um senso de progresso. Fazer melhor e ganhar bem são resultados éticos da inteligência aplicada.

A primeira lição neste sentido vem de Ricardo Semler, no livro *Virando a Própria Mesa*: "...Se o executivo tem vergonha do salário que ganha é porque não merece ganhar aquilo. Se merece, é perfeitamente capaz de demonstrar que o mercado paga isto, que ele passou anos estudando em faculdades ou fazendo curso... Tem que ter orgulho do que ganha". Até então nunca havia lido nada igual. Em poucas palavras Semler começava a desafiar meu *pré-conceito* em relação a dinheiro. A atitude profissional eficaz implica ter consciência do seu valor e comunicar o seu diferencial. Ao longo dos anos, muitas outras lições foram colhidas ouvindo e observando os próprios alunos.

Com Bernd Isert, especialista alemão em constelação sistêmica, e Glória Pereira, escritora e consultora financeira brasileira, aprendemos sob diferentes enfoques um mesmo princípio: todos os sistemas necessitam encontrar o equilíbrio entre suas trocas, entre receber e dar. Segundo Glória (2001), "dinheiro é energia que ativamos e fazemos circular através do nosso comportamento e visão de vida".

Se um cliente menciona que o preço da aula é alto, uma pequena estratégia pode ser a simples pergunta: "*Caro comparado com o quê?*" Ele ou ela pode estar usando como referência as aulas particulares que seus filhos recebem de colegas de escola. Neste caso, mostre que se trata de um trabalho de natureza diversa, recebido de um profissional especializado, com outro tipo de resultado em vista. Há ainda uma outra questão: aulas dadas na residência, em geral para as esposas dos expatriados, são percebidas diferentemente. Embora não seja verdade, parecem ter menor valor do que quando se ensina dentro das empresas.

No encontro inicial com um novo estudante, mencione o preço quando lhe for perguntado. Muitas vezes este detalhe é resolvido com a secretária ou o departamento de Recursos Humanos. Em lugar de dar muitas informações por telefone, é preferível fazê-lo pessoalmente ou através de uma proposta enviada por *e-mail*. Também ofereça uma aula experimental, quando terá oportunidade de abordar esta e outras questões práticas. Se for capaz de criar empatia e dar uma boa primeira aula, provavelmente o preço não será problema. Mais tarde, pode ser que você descubra no seu aluno um bom aliado. Neste caso, será diretamente com ele que você negociará reajustes, por exemplo.

Ensinando Português no Mundo Corporativo

Em Brasília, os estudantes da UnB perguntaram sobre como lidar com os concorrentes. É importante estar atento porque, embora a concorrência pareça invisível, há mais disputa e ofertas hoje do que apenas há um ano. Encaro a situação da seguinte forma: as empresas compram meus serviços porque percebem que negocio e atuo profissionalmente, mantendo uma postura acadêmica. Sim, minha atenção está no curso, no processo de aprendizagem com resultado. Além disto, por minha atitude ética. Mesmo sabendo que meu portfólio de clientes pode incluir diferentes empresas da mesma indústria, como é o caso do petróleo, os estudantes sentem-se à vontade em ter uma professora que circula nos ambientes onde estão seus parceiros e concorrentes.

Recentemente, uma corporação decidiu promover apenas aulas em grupo a fim de reduzir custos. Daí vieram pedidos de propostas e orçamentos que exigiram novos critérios. Deu trabalho? Sim. Ao mesmo tempo, trouxe a motivação de criar um novo formato para atender ao cliente-empresa. Especificamente aprendi que, por poucos reais, um concorrente pode passar por cima da bagagem de bom relacionamento e resultados conquistados junto ao cliente. Nas negociações, quando necessário, ofereça uma contraproposta dentro do seu valor. Se a decisão da empresa não lhe for favorável, decida se vale a pena continuar negociando, arriscando sua congruência profissional. Por isto, a prospecção de novos clientes deve estar continuamente ativada. Principalmente nos bons tempos, garantindo os momentos magros.

Cada empresa tem uma política em relação ao ensino de línguas. Algumas definem um orçamento, enquanto outras um limite de horas. Neste caso, o curso de Português para estrangeiros pode durar, por exemplo, 240 horas. Para falantes de espanhol, em torno de 120 horas. Há ainda aquelas que não impõem nenhuma restrição. Há companhias que fazem inúmeras exigências, gerando mais trabalho na negociação que no ensino em si. Aspectos como horários, sistema de aulas individuais ou em grupo, formas de pagamento e política de cancelamentos devem ser discutidos para que sua proposta seja satisfatória para todos.

As lentes se abrem sobre o curso

A proposta

Converse e descubra que informações são relevantes para seus novos clientes antes de redigir uma proposta concisa, que pode incluir itens como:
- objetivos e estrutura do curso;
- breve descrição dos programas oferecidos (regular, intensivo e outros);
- metodologia e avaliação;
- horários;
- relatório de progresso;
- preço e forma de pagamento; e
- suas credenciais acadêmicas.

A fim de produzir propostas adequadas que comuniquem uma boa imagem, fique atento às correspondências comerciais, contratos e formulários que receber e/ou encontrar. Se tiver acesso a propostas de cursos de idiomas, observe seu formato e conteúdo e faça algo ainda melhor. Lembre-se de ter versões em Português e em Inglês, língua compreendida pela maioria dos estrangeiros, ou ainda em outras, conforme o caso.

Para dar cursos e consultoria, o profissional autônomo deve saber:
- o tempo estimado de permanência do estudante no Brasil;
- quem vai assumir os custos, a empresa ou a aluno, o que gera recibos e impostos diferentes;
- se sua proposta é para pré ou pós-pagamento;
- sobre suas contribuições mensais para o INSS;
- sobre mudanças nas leis, impostos ou procedimentos do governo; e
- que o pessoal do departamento de contabilidade das empresas, em geral, presta valiosos esclarecimentos ao professor.

Considerando nossa história recente, os tempos de hiperinflação fizeram com que o preço das aulas fosse associado a índices como a OTN, ORTN, BTN e até ao dólar, o que não alterou o fato de as empresas realizarem seus pagamentos na nossa moeda corrente, hoje, reais.

Para situar-se no contexto atual, que pode variar bastante dependendo da cidade onde você está e do momento econômico do país e do mundo, informe-se lendo os jornais, associando dados, perguntando e se adaptando. De tempos em tempos, reveja seus ganhos em relação ao mercado, propondo reajustes de acordo com as mudanças econômicas do país ou quando considerar que alcançou um nível de prestação de serviços mais elevado. Lembre-se também da antiga lei de oferta e procura. Comparando São Paulo e Ceará ou Brasil e Japão, por exemplo, a proporção professor de Português/aluno pode variar bastante. Pesquise: vá pessoalmente a cursos; telefone; e pergunte. Da mesma forma, você será sondado, aceito e também preterido.

A grandeza e o valor do trabalho realizado estão na cabeça de cada um, na maneira como o profissional o concebe. Ao negociar o preço dos seus serviços, considere o que leva consigo em termos de habilidades técnicas e comportamentais, as quais serão mobilizadas para o benefício do cliente individual e de sua empresa, somando valor ao projeto em vista.

Pegue e pague

Se, como ensina Glória Pereira, o pensamento é o fator causal da riqueza, perguntamos: o que o professor sabe fazer? Como pode traduzir seu talento em ação que gere dinheiro? Que produtos pode criar e vender ao mercado? Para começar, pensamos nos cursos que podemos oferecer. Por exemplo:

- curso de sobrevivência em Português (500 palavras);
- cursos regulares (básico, intermediário, avançado) e intensivos;
- curso de conversação;
- Português para crianças e adolescentes;
- Português para hispanofalantes;
- cursos de reciclagem de Português; e
- a Língua Portuguesa através da música brasileira.

As lentes se abrem sobre o curso

Além disto, há:

- assessoria para falar com a imprensa; e
- assessoria para falar em público, seja com políticos ou empresários brasileiros.

Muitas vezes o expatriado necessita criar uma imagem para seu negócio perante o mercado brasileiro. Para isto são contratadas assessorias de imprensa que promovem entrevistas com jornalistas, entre outros eventos. Em aula, os profissionais estrangeiros têm a oportunidade de preparar-se. Como? Conversando sobre aspectos do trabalho da companhia que merecem ser mencionados. Fazendo simulações de entrevistas. Acertando a pronúncia, a linguagem corporal e o tom para que, diante dos repórteres, se sintam confiantes, dando o melhor de si. Da mesma forma, o professor pode assessorar seu estudante sempre que ele precisar dar palestras, garantindo o impacto desejado, como vimos neste capítulo quando abordamos o tema empregabilidade.

Além disto, os professores podem trabalhar em projetos de livros didáticos, compilações e versões simplificadas de obras literárias, CD-ROMs e vídeos, assim como se dedicar à gestão de serviços de ensino, à criação de cooperativas de professores e ao treinamento de habilidades permanentes e técnicas para professores de diferentes línguas, sem contar com a linha de ação que leva à consultoria intercultural.

Particularmente, acredito que faltam publicações contemplando nossa história e meio ambiente. Também nossa música, culinária, artesanato, estilo, moda, arquitetura, festividades e personalidades. Sabemos que a alegria e o ritmo são parte de um patrimônio cultural que percorre nossos 8.500.000 km^2 e que nos faz incrivelmente originais. Portanto, aqui está um bom nicho: a brasilidade. Por que não divulgar o melhor do jeitinho brasileiro de viver?

Se é para o bem de todos, digam ao povo que muitos mestres empreendedores já arregaçam as mangas, enquanto outros perguntam: e a consultoria intercultural? Do que se trata afinal?

Capítulo 6

Avistando um novo nicho

Consultoria intercultural: antecipando necessidades

Imagine que você foi convidado para trabalhar num projeto no Mar do Norte, ficando baseado em Oslo. Poderia ser na Venezuela, Nigéria, Cazaquistão, Malásia ou algum outro lugar na rota do petróleo. No caso de Oslo, sempre se conhece alguma coisa sobre a Noruega: é uma monarquia bem organizada, povoada de gente muito loura. Porém, para quem vai morar lá, é preciso saber mais. Como funciona o governo? Falam Inglês ou só o Norueguês? Quais são os valores locais? São formais? Apertam a mão e se abraçam? Como lidam com latino-americanos, brasileiros especificamente? É verdade que são bem liberados? Ou será que vão pensar que você, que vem do Brasil, é? E como enfrentar o frio? Quem recebe uma proposta profissional que requeira a mudança para um país estrangeiro, mesmo sendo tecnicamente capaz de realizar o trabalho, normalmente encontra na cultura, no estilo de vida e no meio ambiente os maiores desafios.

Como temos entendido o mundo e as relações entre as pessoas sob a ótica transpirante da América do Sul, é importante aprender com a simplicidade penetrante de Leonardo Boff (1997) que "todo ponto de vista é a vista a partir de um ponto... A cabeça pensa a partir de onde os pés pisam. Para compreender, é essencial conhecer o lugar social de quem olha. Vale dizer: como alguém vive, com quem convive, que experiências tem; em que trabalha; que desejos alimenta; como assume os dramas da vida e da morte; e que esperanças o animam. Isso faz da compreensão sempre uma interpretação".

Convivência é, portanto, contato. Pode ser conflito. É a tese e a antítese em busca de uma síntese, testando hipóteses, comparando e abrindo mão de alguma coisa. No encontro, crescem as capacidades de auto-expressão e de negociação. Expandem-se as competências intra e interpessoais com as quais podemos gerenciar positivamente as atitudes nos novos ambientes.

"Se não sais de ti, não chegas a saber quem és"
José Saramago (1998)

Os conhecimentos interculturais funcionam em mão dupla. Para os estrangeiros que chegam, são a revelação de um contexto original, onde terão que traduzir sua individualidade e seu potencial, minimizando as diferenças e adaptando-se aos contrastes. Para os nativos significa, entre outros aspectos, reconhecer-se sob uma nova ótica. Deste modo, o treinamento cultural auxilia ambos os lados a antecipar e a lidar com as expectativas dentro dos grupos multiculturais. Também oferece uma visão geral de valores, hábitos e crenças que influenciam as pessoas, o trabalho e, portanto, a própria a vida, juntamente com ferramentas capazes de promover o entendimento.

Se tivéssemos que decidir por um princípio básico para lidar com as diferenças humanas seria o de que, entre pessoas de culturas distintas, não há certo ou errado. Só há o diferente. Partindo deste princípio, trocam-se pré-julgamentos pela leitura do ambiente, pela escuta e pela observação atentas. Diante do que é diverso, em lugar de supor, pergunte a respeito. No processo de aproximação intercultural, a questão que se segue é: como estes conhecimentos podem ser transmitidos?

O treinamento intercultural

Coloque-se no lugar do profissional que acaba de chegar. Nenhum rosto familiar. Nenhum som decifrável. Ele ainda não tem residência definitiva. Suas roupas estão nas malas no hotel e seu chefe, do outro lado do mundo, já cobra trabalho.

Imagine que na primeira semana há uma reunião agendada para ele em seu escritório. Alguém que fala sua língua e não o pressiona está ali para conversar a respeito deste país que até agora o assusta. Esta pessoa sabe de onde ele vem e conhece, em parte, suas expectativas e ansiedades. Conversando, antecipa algumas das perguntas que tem sobre o país e aborda aspectos práticos dos quais não tinha se dado conta. Compartilha conhecimentos mostrando alguns dados oficiais, parâmetros de pesquisa sociológica, política e econômica, inclusive conta episódios interessantes. Faz uma leve análise das culturas envolvidas e abre o jogo sobre a cidade, sugerindo como lidar com as pessoas e situações de acordo com o ponto de vista local. Sobre a mesa há fotos de gente de verdade, mapas e cédulas da moeda local entre outras coisas. Tudo bem diferente dos materiais disponíveis para turistas. Numa exposição dialogada, em que se pode perguntar, comparar culturas e também ensaiar os gestos e cumprimentos típicos, esta pessoa o faz sentir-se um pouco mais à vontade no novo território. Ela se dispõe a ajudá-lo sempre que tiver perguntas ou situações que requeiram explicações. Sugere que tenham mais uma ou duas reuniões para falarem sobre o ambiente empresarial e como conduzir negócios neste novo país. Ao final deste primeiro encontro, o conhecimento prático torna o cliente mais confiante. A partir de agora ele sabe que pode contar com um aliado, um consultor cultural.

"O Brasil não é para principiantes"

Tom Jobim, citado por Ruy Castro (1999)

I.

> Em *A inglesa deslumbrada*, Fernando Sabino escreve:
>
> "... O título se refere a uma jovem que conheci numa festa em casa de Francis Huxley, sociólogo que viveu algum tempo entre os índios brasileiros e escreveu um livro sobre sua experiência. Era uma londrina moderninha: exótica, sofisticada e estapafúrdia. Vestia uma saia preta até os pés, tinha o rosto praticamente caiado de branco. Falávamos em índios, e ela me perguntou se era verdade que eles andavam completamente nus, mesmo em plena cidade, em meio aos civilizados. Disse-lhe que sim, acrescentando que no Brasil era comum os próprios civilizados andarem nus – os pobres por falta de roupa, os ricos por excesso de calor. A inglesinha fez uns olhos enormes e ficou absolutamente deslumbrada."

Ensinando Português no Mundo Corporativo

II.

> Na primeira aula do curso de Inglês na Inglaterra, o professor perguntou aos alunos estrangeiros sobre seus respectivos países. De uma jovem engenheira brasileira quis saber: é verdade que no Brasil as mulheres vestem pouca roupa? Sem querer falar muito, ela pensou nas praias e respondeu que sim.
>
> Conclusão: diante da turma de alunos de várias partes do mundo, o professor acabou unindo Brasil e Afeganistão como exemplos de culturas opostas onde as mulheres ou se expõem ou se cobrem ao extremo.

III.

> Preparando-se para vir ao Brasil, um estrangeiro abordou uma brasileira indagando:
>
> — No Brasil tem mosquitos?
>
> — Mosquitos? Tem.
>
> — Tem muitos rios?
>
> — Tem.
>
> — E jacarés e floresta?
>
> — Também tem.
>
> O viajante desembarcou em São Paulo vestido de botas e roupa tipo safári. No próprio aeroporto deu-se conta de que, com mosquito ou jacarés, a terra não era tão selvagem assim.

IV.

> Como poucos, o sociólogo italiano Domenico De Masi (2000) nos concede luz, escrevendo: "Em nenhum outro país do mundo a sensualidade, a oralidade, a alegria e a inclusividade conseguem conviver numa síntese tão incandescente. A sensualidade é vivida pelos brasileiros com uma intensidade serena. Por "oralidade" eu entendo a capacidade de expressar os próprios sentimentos, de falar. Aquela atitude que no Japão, na China, nos países nórdicos, da Inglaterra à Suécia, é substituída pela incomunicabilidade recíproca e, nos casos extremos, pelo alcoolismo e pelo suicídio. Por "inclusividade" entendo a disponibilidade de acolher todos os diversos, de fazer conviver pacificamente, sincreticamente, todas as raças da Terra e todos os deuses do céu. Todas essas coisas se tornam leves graças a uma disponibilidade perene e uma alegria natural, expressa através do corpo, da musicalidade e da dança..."

Para grande parte do mundo, o Brasil está associado basicamente a um universo que inclui o futebol com ginga, o carnaval de mulheres exuberantes e o café. Recentemente, junta-se a isto o interesse pela floresta amazônica. Porém, considerando a tremenda diversidade ambiental e humana em um território de 8 milhões e meio de km^2, não há dúvida de que somos percebidos sob uma ótica bastante restrita. Por conta desta limitação, para muitos recém-chegados, é uma grande surpresa descobrir, nos diferentes estados, os tantos e bons serviços disponíveis, as manifestações artísticas e culturais, sem falar na alegria dos brasileiros.

Há os que chegam prontos para viver em uma selva e encontram a realidade das metrópoles. Há os que vêm somente para trabalhar e se apaixonam. Há ainda os que chegam de países, como a lendária Suíça, e não voltam mais. Gosto, principalmente, quando deixam escapar que os profissionais daqui superam os colegas de Madrid, Londres ou Houston.

São Sebastião do Rio de Janeiro: atenção ao desembarcar

Em 2000, conversando com diferentes expatriados de uma mesma empresa, percebi que, na verdade, ainda conheciam muito pouco sobre o Rio de Janeiro, sobre as manhas e as malícias desta cidade, o mesmo acontecendo com suas esposas. Para elas, este tipo de conhecimento era ainda mais importante, pois, diferente dos maridos, eram elas que transitavam entre as escolas dos filhos, as compras e os afazeres para a família, além das funções sociais que as mobilizava regularmente. A meu ver, tanto eles quanto elas não tinham a atitude esperta, de *olho vivo*, nem conheciam o básico para desfrutar da cidade. Estavam vulneráveis e perdiam detalhes saborosos do seu novo lugar de residência.

Com esta percepção, formatei um conjunto de estratégias e informações úteis sobre a cidade e ofereci-o a uma das alunas. Com a aprovação de custo dada pela empresa, ela gentilmente reuniu em sua casa outras três americanas e uma escocesa, para quem apresentei um *combinado cultural*. Foi então que, de frente para o mar de Ipanema e falando em Inglês, estreei um novo nicho: a consultoria intercultural em assuntos brasileiros. Desde então, expatriados de várias nacionalidades têm buscado *passaportes culturais* como forma de ganhar mais visão e jogo-de-cintura para lidar com a complexidade deste balneário e também do país.

> A missão da consultoria intercultural é **compartilhar conhecimentos e experiências para que o indivíduo se torne fluente e influente em seu novo cenário social e profissional**. Ou seja, a missão se aplica tanto ao expatriado que chega ao Brasil como também ao profissional brasileiro que necessita se relacionar com colegas, chefia e equipes multiculturais que se apóiam, naturalmente, em diferentes valores.

Segundo Herman Holtz (1997), "a consultoria em si não é uma profissão, mas um modo de exercer uma profissão". Na consultoria intercultural, a abordagem dependerá dos pressupostos básicos, do estilo e da capacidade do professor de identificar e analisar as questões cruciais para o cliente, reunir informações e sintetizá-las em propostas de ação. Estas variações podem ser observadas, por exemplo, consultando-se *websites* de empresas que atuam neste ramo. Dependendo do objetivo do cliente, este tipo de atividade, também conhecida como treinamento intercultural, pode cobrir especificidades sobre o país e a vida na nova cidade onde o expatriado se encontra. Também há clientes interessados especificamente nos aspectos culturais, nos costumes locais que dizem respeito ao mundo dos negócios e até em segurança corporativa.

Prepare-se para informar aos seus clientes em potencial e às empresas do que se trata exatamente a consultoria. Ao expressar de forma clara e concisa o objetivo, a quem se destina e os benefícios do seu trabalho como consultor intercultural, os clientes saberão que podem recorrer a você para solucionar problemas e esclarecer dúvidas pessoais e corporativas. Foi assim com o expatriado que anunciou que precisava urgentemente saber *como fazer negócios no Brasil sem ficar maluco*, enquanto outro se interessou por conhecer mais sobre as relações interpessoais aqui. Por parte dos brasileiros, a atenção se dirige para o conhecimento dos valores e fatos culturais, aqueles aspectos intangíveis que surgem no dia-a-dia de trabalho com os profissionais estrangeiros, a fim de evitar frustrações em ambos os lados, promovendo os melhores resultados entre os parceiros internacionais em jogo.

Em suma, **esta consultoria é em si mesma um investimento em tempo**. O bom consultor levanta o véu cultural e revela o que o cliente levaria meses e muito esforço para descobrir por si só. Mais importante que isto, transforma a amarga e conhecida expressão "choque cultural" em uma renovada atitude de compreensão intercultural.

Conclusão

Conclusão

Ensinando e aprendendo para a vida

Há no conhecimento um mistério fundamental: ele nunca se esgota. Transforma-se. Para quem estuda o que vive e vive o que estuda, o capital intelectual está em constante ebulição, o que pode significar expansão.

Minha aproximação com o ensino de Português para estrangeiros começou por acaso, num curso de idiomas em Copacabana, onde participei de um treinamento para professores. Lembro-me que, pouco tempo depois, quando perguntaram sobre quem, entre os treinandos, estava preparado para dar aulas a um destacado diplomata canadense, somente uma professora se habilitou. Naquela época, ainda não podia imaginar que eu mesma estaria ensinando a cônsules, presidentes de multinacionais, *chefs* de cozinha, banqueiros, além de profissionais das mais variadas áreas de especialização, de tecnologia da informação à cirurgia plástica. No contato com representantes de tantas culturas, aprendi a trabalhar depositando na comunicação a semente do entendimento, da aceitação das diferenças e da superação das dificuldades. Genuinamente simples, este é um caminho legítimo para a paz no mundo.

Cada estudante é um universo em si, querendo ser mais. Vindos do norte e sul, do oriente e ocidente, foram muitos a quem ajudei a adotar o Português como segunda língua e o Brasil como seu lugar no mundo e ainda levar consigo uma atitude de conciliação para seu próximo posto. Esta forma de ensinar inclui as incertezas e o caos, a valorização do novo e a fé no indivíduo. É também uma maneira muito pessoal de acompanhar o pensamento de Rose Marie Muraro (1999) no sentido de não abrir mão da própria profundidade. Neste sentido, entre as grandes coisas que ouvi dos expatriados, talvez a mais importante tenha sido: *"Estou saindo do Brasil um ser humano melhor"*.

O que me motiva a fazer este trabalho é justamente o fato de que nunca é o mesmo trabalho. Assim, esteja pronto para ousar. Inove na apresentação do seu conteúdo. Compartilhe com seu aluno a responsabilidade dos dois terem uma ótima aula. Faça de cada aula um evento único. Deixe que seu aluno lhe explique o mundo de coisas que um brasileiro nem suspeita que exista. Melhor ainda, conduza-o para que lhe conte tudo em Português.

O trabalho é a expressão do que somos. Através dele unimos esforços com colegas, fornecedores e clientes, penetrando em uma dimensão sutil e concreta chamada *mercado*. Quando pessoas, trabalho e vida se influenciam sinergisticamente, os resultados repercutem em várias direções. Assim também é a contribuição que professor e aluno fazem reciprocamente nas vidas um do outro. Enquanto tiver entusiasmo pelo que faz, enquanto estiver aprendendo e se divertindo, vá em frente. E, como bom empreendedor, saiba reconhecer o momento de buscar outros horizontes.

É verdade que o mundo corporativo impõe maior agilidade, foco em resultados, trabalho em projetos, compromisso com as decisões tomadas e a convivência diária com outros idiomas. Por isto, crie a memória dos seus empreendimentos, registrando as ações que funcionam, as suas melhores práticas, as empresas onde esteve, as cartas de recomendação.

Se optar pelo empreendedorismo, saiba que vem associado com o frio na barriga. Sair da zona de conforto exige coragem e estratégia. Se você é pela iniciativa privada e automotivação, comece por uma atitude de curiosidade pelo seu contexto de vida, sua atividade profissional, sua cidade. Acostume-se a perguntar e a descobrir nas palavras dos outros as respostas para os seus questionamentos. Planeje a semana, com um olho no próximo mês e, desde o início, distribua os ovos em diferentes cestas. Diversifique-se. Seja organizadamente polivalente, ao mesmo tempo em que experimenta o gosto de exercer seu livre arbítrio.

Adote a simultaneidade. Aprenda trabalhando. Cresça como profissional e como ser humano ao mesmo tempo. Olhe para o seu trabalho do ponto de vista dos clientes, das empresas, do nosso país e também em retrospecto, percebendo a trajetória de sua biografia.

Muito se fala sobre o sucesso. A caminho dele, parece sensato que cada um se trate com gentileza. Ofereça a si próprio o respeito e apoio interno para seguir em frente porque só quem ousa é capaz de

Conclusão

sair do território das coisas fáceis e reconhecíveis para arriscar-se em novas conquistas. Já que a descoberta, a transformação e o crescimento estão sempre um pouco além daquilo que sabemos, tropeçar é parte da jornada dos guerreiros antigos e modernos. Diante do novo, faça o que tem que fazer. Faça por você. Do seu jeito. Simplesmente, faça.

O trabalho é bom quando se identifica com a vida. No caso do Português para estrangeiros e da consultoria intercultural, esta afirmação é totalmente verdadeira.

Aos professores inovadores, integradores e ousados, ouço os deuses dizerem sim.

Anexos

Anexo

Inspiração: onde encontrar

Livros, estes objetos encantados

ALLENDE, Isabel. *Afrodite: receitas, contos e outros afrodisíacos...* SP: Bertrand, 1998.

BOFF, Leonardo. *A águia e a galinha: uma metáfora da condição humana.* RJ: Vozes, 1997.

CHAGAS, Fernando Celso Dolabela. *O segredo de Luísa.* SP: Cultura, 1999.

CASTRO, Ruy. *Ela é carioca: uma enciclopédia de Ipanema.* SP: Cia. das Letras, 1999.

COVEY, Stephen. *Os 7 hábitos das pessoas muito eficazes.* SP: Best Seller, 1989.

DE MASI, Domenico. *O ócio criativo.* RJ: Sextante, 2000.

EDLER, Richard. *Ah, se eu soubesse.* SP: Negócio, 1995.

FILHO, Jayme Teixeira. *Gerenciando conhecimento.* RJ: Senac, 2000.

HOLTZ, Herman. *Como ser um consultor independente de sucesso.* RJ: Ediouro, 1997.

HUNTINGTON, Samuel P. *O choque das civilizações e a recomposição da ordem mundial.* RJ: Objetiva,1996.

LIMA, Ema Eberlein O. F. et al. *Avenida Brasil: curso básico de Português para estrangeiros.* SP: EPU, 1991.

MASTROIANNI, Marcello. *Eu me lembro, sim, eu me lembro.* SP: DBA, 1999.

MURARO, Rose Marie. *Memórias de uma mulher impossível.* RJ: Rosa dos Tempos, 1999.

_____ . *Os seis meses em que fui homem.* RJ: Rosa dos Tempos, 1996.

OLIVEIRA, Marco. *O novo mercado de trabalho: guia para iniciantes e sobreviventes.* RJ: Senac, 2000.

RUBIN, Harriet. *A princesa: Maquiavel para mulheres.* RJ: Campus, 1997.

SABINO, Fernando. *A Inglesa deslumbrada.* RJ: Record, 1992.

SARAMAGO, José. *O conto da ilha desconhecida.* SP: Cia. das Letras, 1998.

SEMLER, Ricardo Frank. *Virando a própria mesa.* SP: Best Seller, 1988.

WEIL, Pierre. *A arte de viver em paz: por uma nova consciência, por uma nova educação.* SP: Gente, 1993.

Websites para ampliar a visão

www.cplp.org – sobre a Comunidade dos Países de Língua Portuguesa

www.mec.gov.br/sesu/celpe – sobre o Certificado de Proficiência em Língua Portuguesa para estrangeiros

www.gertrudes.pt – para conhecer a rede dos países lusófonos

www.globallanguages.com/knowledge/languages.html – sobre as línguas mais faladas no mundo

www.tompeters.com – especificamente a seção *Cool Friends*

www.faithpopcorn.com – especialmente as tendências para o futuro em *Trends*

www.joelmirbeting.com.br – para se atualizar sobre o mundo

www.topspeaker.com – especialmente a seção *News Column*

www.dolabela.com.br – para saber mais sobre empreendedorismo

www.turunsanomat.fi – um jornal finlandês: a experiência da compreensão zero

As revistas e o gosto de folhear

Exame, Abril Editora – informação com perspectiva.

Você SA, Abril Editora – visão ampla e empreendedora.

Veja, Abril Editora – para ficar atualizado.

Fast Company – revista americana de negócios, vale pelos *insights*.

Revista *MTV* – imperdível pela abordagem inteligente e diagramação.

Redação Técnica Empresarial

ISBN 85-7303-498-X / 140 págs.

16 x 23 cm / Cód. 590

LANÇADO EM 2004

Em Redação Técnica Empresarial, a autora Mariangela Ferreira Busuth oferece subsídios para que o leitor aprenda a expressar com clareza e objetividade as mensagens voltadas para a sua área profissional. O livro apresenta técnicas, exemplos e estudos de alguns casos de redação comercial, assim como casos gramaticais que devem ser relembrados para o aprimoramento da redação. O conteúdo apresentado é tratado a partir de situações comunicacionais, as quais levarão o leitor a exercitar a sua elaboração de textos, bem como a efetuar correções, numa atitude reflexiva e crítica, além do domínio das técnicas de elaboração de vários tipos de correspondência.

Conheça todas nossas obras no site
www.qualitymark.com.br

COMUNICAÇÃO PARA A QUALIDADE

A preocupação central desse livro é caracterizar a comunicação no ambiente empresarial, seus diferentes fluxos, objetivos e distorções, bem como mostrar como os executivos que respondem pelos resultados da empresa podem administrar a "dupla personalidade" da comunicação no contexto dos programas de gestão da qualidade.

Lançado em 2004

ISBN 85-7303-478-5 / 160 págs.
16 x 23 cm / Cód. 568

Alípio do Amaral Ferreira é jornalista e sociólogo, com cursos de especialização em marketing, administração e jornalismo científico. Teve passagens em grandes jornais como O Globo, O Estado de S. Paulo e Última Hora. A partir de 66, dedicou-se às revistas de Business to Business como editor de publicações e diretor editorial do Grupo Lund de Publicações Especializadas.

Conheça todas nossas obras no site
www.qualitymark.com.br

Educação Corporativa

ISBN 85-7303-506-4 / 184 págs.
16 x 23 cm / Cód. 392

Lançado em 2004

 Na atual sociedade em que vivemos, é extremamente importante que o conhecimento dos colaboradores de uma organização seja devidamente qualificado, especializado e atualizado. Neste cenário, a educação corporativa é a chave principal para reter este capital intelectual.

Esta coletânea de artigos, organizada por Ana Paula Freitas Mundim e Eleonora Jorge Ricardo, navega desde a teoria até a prática, com apresentação de casos sobre implantação de projetos de educação corporativa. Com uma linguagem clara e objetiva, os textos permitem que o leitor tenha uma visão de impacto que a aplicação do conceito de educação corporativa vem provocando no nível de competividade das empresas.

**Conheça todas nossas obras no site
www.qualitymark.com.br**

Entre em sintonia com o mundo

QualityPhone:
0800-263311
Ligação gratuita

Qualitymark Editora
Rua Teixeira Júnior, 441 – São Cristóvão
20921-400 – Rio de Janeiro - RJ
Tel.: (21) 3860-8422
Fax: (21) 3860-8424

www.qualitymark.com.br
e-mail: quality@qualitymark.com.br

Dados técnicos:

• **Formato:**	16x23
• **Mancha:**	12x19
• **Fonte títulos:**	Square 721
• **Fonte texto:**	Zapf Elliptical
• **Corpo:**	11
• **Entrelinha:**	13
• **Total de páginas:**	116